Wer zuletzt lacht...

IOH K

PETER FABRIZIUS

Wer zuletzt lacht...

EDITED BY

CLAIR HAYDEN BELL

University of California at Berkeley

ILLUSTRATIONS BY

FREDERICK SIEBEL

New York

APPLETON-CENTURY-CROFTS, Inc.

FOREWORD

THE SHORT stories of "Peter Fabrizius," now amounting to some three hundred all told, offer delightful reading material for classes in elementary German. It is with a particular pleasure that the editor presents the first American selection of these for classroom use.

The very qualities that have brought these charming tales success—their simplicity and humor—make them suitable for students in first- or second-year German courses. Because of their simple style the stories need little annotation. In those few instances where a note would be helpful this has been supplied. Brief exercises are furnished for those who wish to use them and a vocabulary provided in which, so far as the alphabetical principle of arrangement permits, words are presented in related groups.

ABOUT THE AUTHORS

Peter Fabrizius is one of those rare authors who walk on four legs. He can claim two birthplaces—the wine city of Vienna in Old Austria and the beer center of Pilsen, two hundred miles away. For "Peter Fabrizius" is the joint pen-name of literary twins, Joe Fabry and Max Knight. They met as students in Vienna and after receiving their Ph.D.'s in 1933 started to collaborate in writing stories, thereby establishing what has proved to be a permanent alliance of authorship. Ever since then the authors have amused themselves by spinning out light, surprise-ending yarns, selected examples of which are contained in this volume. Their stories have appeared in the magazines of twenty-six countries from

Estonia to Ceylon and from China to Belgium. They have
been translated into seventeen languages, including Esper-
anto, and have been published in book form by John Mur-
ray of London. Their appearance in America is long overdue.
Fabrizius is also the author of a musical comedy *Lisa, benim
dich!* which had a run of five hundred performances in
Vienna alone before it went on tour in many other European cities. This musical was later made into a novel under
the same title.

Authors Fabry and Knight, after doing editorial work in
England and the Far East, joined the U. S. Office of War
Information during World War II, writing radio scripts.
They are now at the University of California at Berkeley—
both as editors: Joe on agricultural publications; Max on
book manuscripts.

On the side Peter Fabrizius runs "Pacific Features," an
agency specializing in articles on the American Far West,
writes a weekly broadcast for the State Department's Voice
of America, and frequently contributes to California and na-
tional magazines. Peter scorns the notion that two can accomplish twice as much as one and points to his productivity
as proof of his motto: "one and one make three."

C. H. B.

University of California at Berkeley

CONTENTS

CONTENTS

Wer zuletzt lacht...

Die siebzehn Kamele

Es GIBT Geschichten, die in der ganzen Welt zu Hause sind. Sie scheinen keinen Verfasser zu haben. Sie tauchen vielleicht zuerst in Indien auf, dann hört man sie wieder mit kleinen Veränderungen in Europa, und wieder ein anderes Mal etwa in Amerika. 5

Die folgende Geschichte von den siebzehn Kamelen stammt angeblich aus Arabien und ist in verschiedenen Fassungen bekannt. Hier ist die Fassung, in der ich sie gehört habe:

Vor vielen hundert Jahren starb in Afrika ein reicher 10 Mann. Er hatte drei Söhne, denen er sein ganzes Vermögen hinterließ. In Afrika, in jener Zeit, bestand das Vermögen reicher Leute aus Kamelen. Der Mann besaß siebzehn dieser wertvollen Tiere.

Der Vater wollte nicht, daß sich nach seinem Tode die 15 Söhne um das Erbe stritten. Er ging also zu einem gelehrten Mann, der schreiben konnte, und machte sein Testament. In diesem Testament bestimmte der Vater folgendes:

Mein ältester Sohn soll die Hälfte meines Vermögens erben.
Mein zweiter Sohn soll ein Drittel erben. 20
Mein jüngster Sohn soll ein Neuntel erben.

Der gelehrte Mann schrieb alles auf ein Pergament und drückte ein großes Wachssiegel darauf, denn ein Testament ist ein wichtiges Dokument.

Kurz darauf starb der Vater.

Die Söhne fanden das Testament — aber der Wunsch des Vaters erfüllte sich nicht: Die Söhne begannen sehr bald zu streiten. Denn als sich der älteste Sohn die Hälfte des Ver-
5 mögens nehmen wollte, bemerkte er, daß man siebzehn Kamele nicht in zwei gleiche Teile teilen konnte; der zweite Sohn konnte sich nicht ein Drittel von siebzehn Kamelen nehmen, und der jüngste nicht ein Neuntel.

Während sich die drei Söhne mit lauter Stimme vor dem
10 Zelte ihres Vaters stritten, kam ein Derwisch auf seinem Kamel dahergeritten.[1]

Derwische sind mohammedanische Mönche, bekannt wegen ihrer großen Weisheit.

„Warum streitet ihr?" fragte er.
15   Die drei Söhne erzählten von ihrer schwierigen Situation und baten den Derwisch um Rat und Hilfe.

Der Derwisch überlegte nicht lange. Er nahm sein eigenes Kamel und führte es am Zügel in den Stall hinter dem Zelt, wo die anderen siebzehn Kamele standen. Dann sagte er
20 zum ältesten Sohn:

„Dein Vater hinterließ dir die Hälfte. Geh hin und nimm dir die Hälfte."

Da nun achtzehn Kamele im Stall standen, nahm sich der Älteste die Hälfte — nämlich neun Kamele — und führte sie
25 in sein eigenes Zelt.

„Und du," sprach nun der Derwisch zum zweiten Sohn, „sollst dir ein Drittel nehmen — ein Drittel von achtzehn ist sechs."

Der zweite Sohn nahm sich nun sechs Kamele.
30   Der Jüngste hatte ein Neuntel geerbt, also zwei Kamele.

---

[1] kam dahergeritten. With verbs of motion after kommen, the Germans do not use the present participle (daherreitend), but the perfect participle.

„Warum streitet ihr?" fragte der Derwisch

Von den achtzehn hatte nun der erste neun weggeführt,
der zweite sechs und der jüngste zwei. Neun und sechs und
zwei ist siebzehn. Ein Kamel war übriggeblieben.

Auf dieses Kamel schwang sich nun der weise Derwisch,
5 lächelte und ritt davon, in die Wüste.

∗ 2 ∗

Der Handschuh

SCHON hundertmal hatte Thomas, der Detektiv, seinem
Freund Fritz erklärt, daß der Beruf eines Detektivs weder
wunderbar noch romantisch war. Detektiv sein, bedeutete
Pflichterfüllung, Ausdauer und die Fähigkeit, Schlüsse zu
ziehen. Es bedeutete aber nicht nächtliche Schießereien, Ein- 5
schleichen in offene Fenster, zehn Verkleidungen täglich
und Scharfsinn bis zur Lächerlichkeit. Fritz aber verstand
unter einem Detektiv einen Mann, der aus der Zigaretten-
asche feststellen konnte, wer der Mörder war.

Eines Tages fand Fritz einen Handschuh. Sofort besuchte 10
er seinen im gleichen Hause wohnenden Freund Thomas
und schwenkte den Handschuh schon von weitem. „Was
sagst du zu diesem Handschuh?" rief er und störte Thomas,
der eben ein Büschel Haare durch ein Vergrößerungsglas
betrachtete. „Kannst du aus diesem Handschuh erkennen, 15
wer ihn verloren hat?"

„Du bist entsetzlich, Fritz. Ist ein Mord geschehen? Hat
dieser Handschuh etwas mit einem Verbrechen zu tun?
Warum willst du immer Detektiv spielen? Ich habe ohnehin
genug mit ernsten Dingen zu tun. Wozu das alles?"   20

„Lieber Thomas," bat Fritz, „ich will dir etwas gestehen:
Ich habe selbst Forschungen gemacht und habe eine bestimmte Ansicht darüber, wer das Ding verloren hat. Und
nun möchte ich so gerne wissen, ob du auch zu demselben
Schluß kommst."   25

„Also gib ihn her," seufzte Thomas und hielt den Handschuh unter das Vergrößerungsglas. Er betrachtete ihn sehr
genau, drehte ihn nach allen Seiten, untersuchte die Linien,
die eingezeichnet waren und roch daran. Zuletzt schüttete
5 er eine Flüssigkeit darauf und beobachtete genau, was geschah. Dann legte er den Handschuh zur Seite und sagte:
„Ich bin mit meiner Untersuchung fertig und werde dir
sagen, wer den Handschuh verloren hat . . ."

„Noch nicht!" unterbrach Fritz. „Erst werde ich dir sagen,
10 zu welchem Ergebnis ich gekommen bin. Dieser Handschuh
gehört einer Frau, etwa 30 Jahre alt; ziemlich arm; trägt
häufig Körbe, sie ist also vermutlich ein Marktweib oder der-
gleichen. An dem kleinen Finger hat jemand genagt, wahrscheinlich die hungrigen Kinder der armen Frau. Aus
15 anderen Merkmalen, die ich noch nicht verraten will,
schließe ich, daß die Frau früher im Ausland gelebt hat,
blaue Kopftücher trägt und gerne Rinderbraten mit Toma-
tensoße ißt. Sie ist verheiratet mit einem vierzigjährigen
Apotheker."

20   Triumphierend blickte Fritz seinen Freund an: „Nun?
Bin ich ein Detektiv?"

„Dieser Handschuh," sagte Thomas ruhig und sicher
„stammt von einem Mann. Dieser ist 45 Jahre, 7 Monate und
3 Tage alt. Er hat in seinem Leben noch nie Körbe getragen.
25 Kinder besitzt er nicht. Er lebt in recht guten Verhältnissen.
Im Ausland ist er nie gewesen. Als Kopfbedeckung trägt er
braune Kappen oder steife Hüte. Am liebsten ißt er ge-
backene Leber mit gerösteten Kartoffeln. Er geht gerne ins
Theater, besonders zu modernen Stücken. In seiner Jugend
30 hat er Schmetterlinge gesammelt und zwar . . ." Thomas
hielt den Handschuh gegen das Licht und blickte scharf auf
den Daumen, „ . . . besonders gern Admirale. Er hat braune

Haare. Seine Tante besitzt eine Hemdenfabrik in Dänemark. Sie geht jeden Mittwoch von sieben bis neun Uhr in den Frauenklub."

„Das ist doch unerhört!" rief Fritz. „Entweder du bist der größte Detektiv oder der größte Schwindler aller Zeiten. Sagst du wirklich die Wahrheit . . . ?"

„Du brauchst mir nicht zu glauben." Thomas war beinahe beleidigt. „Soll ich dir den Namen der Tante sagen? Und die Adresse? Und die Telefonnummer? Dann kannst du alles nachprüfen."

„Aber — aber," stammelte Fritz fassungslos, „wie ist es möglich, daß du aus diesem gewöhnlichen Handschuh, den ich zufällig vor unserer Haustür gefunden habe, alle diese Dinge errätst?"

„Es ist gar nicht ‚erraten'," sagte Thomas ruhig und nagte nach alter Gewohnheit an seinem kleinen Finger. „Ich weiß es bestimmt, denn der Handschuh gehört mir."

* 3 *

Es gibt Streit

ALS OSKAR das Salz umschüttete, beugte sich Lizzy aufgeregt über den Tisch und rief:

„Ach, Oskar, das gibt Streit,[1] entsetzlich!"

Er sah sie erstaunt an: „Streit? Warum denn?"

5 „Weil du Salz verschüttet hast!"

Oskar lächelte ihr liebevoll zu and sagte: „Und deshalb soll es Streit geben, Herzchen?"

Er war [2] erst zwei Wochen mit Lizzy verheiratet, nannte sie „Herzchen" und wußte nicht, ob sie abergläubisch war.

10 „Wenn Salz verschüttet wird," belehrte ihn das Herzchen und küßte ihn rasch auf die Nasenspitze, „gibt es immer Streit. Das ist eine alte Erfahrung."

„Bei uns gibt es keinen Streit, Liebling. Meinetwegen kannst du einen Kübel Salz mitten in den Salon schütten.

15 Mir macht das gar nichts, und ich denke nicht daran, zu schimpfen."

„Es handelt sich nicht darum, ob du schimpfst oder nicht. Es ist eine uralte Weisheit, daß das Verschütten von Salz Streit bedeutet."

20 „Eine Weisheit, haha! Eine schöne Weisheit!" lachte

[1] **Es gibt Streit,** present tense, used, as often, with future meaning: "There will be a quarrel."

[2] **war erst zwei Wochen verheiratet,** "had been . . ." When the action is still continuing in present time, German employs the present tense for the English perfect; similarly the past tense for the English pluperfect.

„Wir werden *nicht* streiten," schrie Oskar

Oskar. „Ein junges Ehepaar, wie wir, sollte streiten, bloß weil ein paar Salzkörner nicht im Streuer, sondern auf dem Tischtuch liegen . . . ! Das ist doch lächerlich!"

„Bitte spaße nicht mit ernsten Dingen! An dem ersten
5 Streit sind oft die glücklichsten Ehen gescheitert."

„An dem ersten Streit, ja. Aber bei uns wird es gar keinen ersten Streit geben!"

„So? Wieso kannst du das wissen?"

„Weil ich immer nachgebe," behauptete Oskar.

10 „Was, du gibst nach?"

„Gewiß. Gestern abend, zum Beispiel, als du die merkwürdige Idee hattest, mit deiner Freundin ins Kino zu gehen und mich hier zurückzulassen."

„Gestern abend? Ich verstehe nicht, wie du es wagen
15 kannst, mich an gestern abend zu erinnern! Du hattest doch deine Freunde hier und spieltest mit ihnen Karten. Ich langweilte mich und ging ins Kino, weil ich einen Krach vermeiden wollte."

„So!" rief Oskar, „dann muß ich dir mitteilen, daß ich
20 die Kartenpartie nur deshalb arrangierte, weil ich mich ärgerte, daß du dich gar nicht um Mutter gekümmert hast, die zum erstenmal in unserer neuen Wohnung war. Ich wollte dich bloß nicht zur Rede stellen und nicht mit dir darüber streiten, weil ich überhaupt mit dir nicht streiten
25 will!"

„Wir *werden* aber streiten! Du hast ja das Salz verschüttet!"

„Fängst du schon wieder mit diesem Unsinn an?" schrie Oskar erbost. „Wir werden uns nicht streiten, ganz bestimmt
30 nicht!"

„Ja-ha-ha," schluchzte die junge Frau, „bei u-hum-geschüttetem Sa-halz gibt es i-himmer Strei-eit!"

Oskar sprang von seinem Sitz auf und hieb mit der Faust auf den Tisch, daß der gläserne Streuer umfiel und auch der restliche Inhalt sich auf das Tischtuch ergoß. „Jetzt hab' ich es satt, mich mit dir abergläubischem Frauenzimmer zu ärgern! Ich sage: Wir werden *nicht* streiten, zum Kuckuck, und daher gibt es keinen Streit!"

„Warum streitet ihr denn?" fragte Oskars Mutter, die soeben eintrat.

Oskar sah sie trotzig an. „Wir streiten nicht," sagte er zornig.

„Aber wir *werden* noch streiten," wimmerte Lizzy schwach, aber widerspenstig. „Oskar hat das Salz umgeschüttet."

Die Mutter beugte sich über die Stelle, an der die Katastrophe stattgefunden hatte und wischte das feine, weiße Pulver auf ein Häuflein.

„Aber Kinder," sagte sie dann, „das ist doch der Zucker!"

* 4 *

Der Empfehlungsbrief

RUDOLF POSTL war ein hartnäckiger junger Mann. Wenn er sich etwas in den Kopf setzte, führte er es meistens auch aus.

Er setzte es sich in den Kopf, eine Stellung bei der großen Handelsfirma Niederhauser und Kompanie zu bekommen.

5 „Ich muß einen guten Empfehlungsbrief von einer hochgestellten Person haben," sagte Postl zu seiner Frau. „Sonst werde ich wohl bei Niederhauser nicht angestellt werden. Glaubst du, daß mir der Handelsminister einen solchen Brief geben wird?"

10 Frau Postl war flüchtig mit dem Handelsminister bekannt, weil ihre Eltern aus der gleichen Ortschaft stammten, wie dessen Familie. Der Minister hatte Rudolf Postl nur einmal gesprochen und hatte keine besonders gute Meinung von dem jungen Mann.

15 Als Rudolf Postl den Minister um eine Unterredung ersuchte, war dieser nicht sehr erfreut; aber er empfing Postl doch, obwohl er ihn für zudringlich hielt.

Postl trug seinen Wunsch vor. Der Minister, nach kurzem Zögern, setzte sich an seinen Schreibtisch, schrieb den Brief, 20 steckte ihn ins Couvert, verschloß es, schrieb die Adresse darauf und gab ihn Rudolf Postl.

Dieser bedankte sich und ging sofort zur Handelsfirma Niederhauser.

„Ich möchte Herrn Direktor Niederhauser sprechen," 25 sagte er zum Portier.

„Direktor Niederhauser ist sehr beschäftigt," sagte dieser.
„Er kann niemanden empfangen."

„Er kann *mich* empfangen," sagte Postl. „Ich habe ein
Empfehlungsschreiben vom Handelsminister."

„O, das ist etwas anderes," sagte der Portier. Aber er wagte 5
doch nicht, Postl zum Direktor zu führen. Statt dessen führte
er ihn zum ersten Buchhalter.

„Ich möchte Herrn Niederhauser sprechen," sagte Postl
zum Buchhalter. „Ich habe einen Brief vom Handelsminister." Und er schwenkte nachlässig den Brief, dessen Um- 10
schlag die Adresse des Ministeriums aufgedruckt hatte.

„Sofort, sofort," sagte der Buchhalter und klopfte an der
Tür seines Chefs. „Ein Herr ist hier mit einer Empfehlung
vom Handelsminister," sagte er.

Fünf Minuten später saß Postl dem Direktor Nieder- 15
hauser gegenüber.

Eine Stunde später hatte er eine Stellung in der Firma
Niederhauser und Kompanie.

Die Jahre vergingen. Rudolf Postl rückte vor zur Stellung
eines zweiten Buchhalters, und später zu der des ersten Buch- 20
halters. Nach zehn Jahren wurde er Partner des Geschäfts.

Und als Direktor Niederhauser starb, war es nur natürlich,
daß Herr Rudolf Postl das Geschäft übernahm.

Am Tage nachdem Postl in das Büro des alten Herrn Niederhauser einzog, machte er eine Entdeckung. Er saß nun 25
im Sessel des einstigen Chefs und kramte in den Schubladen
des Schreibtisches herum — desselben Schreibtisches, an dem
ihn vor fünfzehn Jahren Direktor Niederhauser zum
erstenmal empfangen hatte.

Da entdeckte er einen Brief, dessen Umschlag ihm bekannt 30
vorkam. Richtig, es war jener Empfehlungsbrief, den ihm

der Minister vor vielen Jahren gegeben hatte. Der Minister war inzwischen auch schon gestorben.

Postl drehte den Brief in der Hand herum — und bemerkte, daß der Umschlag gar nicht geöffnet war. Wenn 5 man eine Empfehlung von einem Minister hat, kommt es wohl auf den Inhalt nicht so sehr an, dachte Postl.

Er öffnete den Brief. Da stand: „Sehr geehrter Herr: Sollte sich Herr Rudolf Postl auf mich berufen, werfen Sie ihn hinaus! Er ist der zudringlichste Mensch, den ich kenne."

✳ 5 ✳

Brav, Liselotte!

Vor dem Schillerdenkmal steht ein kleines Mädchen mit dunklen Haaren, die hinten gelockt sind. Mit aufwärts gerichtetem Stupsnäschen blickt es starr auf das Denkmal.

Das Mädchen heißt Liselotte.

Ein Herr kommt vorbei und möchte gerne wissen, was da ⁵ oben auf dem Denkmal zu sehen ist.

Er schaut hinauf, blickt auf das Mädchen, schaut wieder hinauf — es ist nichts zu sehen. Das Schillerdenkmal steht hier wie immer und rührt sich nicht.

Auch Liselotte rührt sich nicht.   ¹⁰

„Darf ich fragen, mein kleines Fräulein, was Sie ¹ hier machen?"

Die Kleine blickt ihn eine Sekunde strafend an. Mutti hat immer gesagt: „Antworte fremden Herren nicht, wenn sie auf der Straße zu dir sprechen."   ¹⁵

Mutti ist eine kluge Frau. Der Mann bekommt keine Antwort. Liselotte starrt auf das Denkmal.

Der Mann brummt etwas Ärgerliches und geht weg. Da kommt aber schon eine dicke Frau herbei, die bemerkt hat, daß der Herr das Denkmal so aufmerksam betrachtet ²⁰ hatte. Sie bleibt auch stehen und schaut hinauf. Auch ein Zeitungsverkäufer gesellt sich zu den beiden. Ein Dritter nähert sich, ein Vierter — alle blicken hinauf. Es ist bekannt,

---

¹ **Sie**, to the *Fräulein,* rather than *du* with *Mädchen.*

17

daß in solchen Fällen die erste kleine Gruppe von Personen wächst [1] wie eine Lawine.

Schließlich stehen zehn oder zwanzig Personen da und möchten gern wissen, was eigentlich geschehen ist. Zuletzt
5 fragt jemand: „Gestatten Sie, können Sie mir vielleicht sagen . . . ?"

„Nein, ich kann nicht," ist die Antwort, „ich weiß leider auch nicht . . ." *perhaps*

„Verzeihung. Vielleicht der Herr neben Ihnen?"
10 „Keine Ahnung. Ich werde meinen Nachbarn fragen . . ."

„Tut mir leid," sagt der Nachbar, „ich habe die Leute hier stehen gesehen und wollte nur wissen, was da vorgeht."

Die dicke Frau, die zuerst hier war, wird aufgeregt: „Das
15 Mädchen," ruft sie, „das kleine Mädchen . . ."

Das kleine Mädchen ist aber längst nicht mehr da. Nachdem es mehrere Minuten hinaufgeblickt hatte, war es nach Hause gegangen, ohne sich um die Menschen zu kümmern.

Ein Polizist nähert sich. „Was gibt's da?"
20 Auf der gegenüberliegenden Straßenseite bemerken ein paar Lausbuben, daß die Polizei eingreift.

„Ho, die Polizei!" rufen sie und laufen schon hinüber. Die vorübergehenden Leute sehen ein paar Burschen rennen, die „Polizei" schreien. Schon jagen einige hinter den Burschen
25 her und rufen: „Aufhalten!"

Das Aufsehen wird immer größer. Wie ein Zug Heringe schwärmen von allen Seiten die Menschen herbei. Die Straße ist blockiert, die Autobusse können nicht fahren. Mehrere Schutzleute zeigen sich und ein Inspektor ist unter ihnen.

---

[1] daß . . . wächst wie eine Lawine, easy colloquial style, whereas strict rule would call for transposition of the verb to the end: *wie eine Lawine wächst.*

— alle blickten hinauf

Pfeifensignale ertönen, Chauffeure schimpfen, weil sie nicht
fahren können, Autos hupen.

Alles zusammen ergibt ein unübersehbares Durcheinander.

Am nächsten Tag konnte man in der Zeitung eine kleine
5 Notiz lesen:

„Aus unaufgeklärter Ursache versammelte sich gestern
eine große Menschenmenge vor dem Schillerdenkmal. Der
Verkehr wurde gestört. Die Polizei war machtlos. Der
herbeigerufenen Feuerwehr[1] gelang es schließlich, die
10 Menge, die den Platz nicht verlassen wollte, durch Wasserspritzen zu vertreiben. Man nimmt an, daß es sich um einen
Scherz oder eine politische Demonstration gehandelt hat."

Aber am gleichen Vormittag sagte Liselottes Lehrerin in
der Schule:

15 „Die Hausaufgabe ist diesmal sehr schlecht ausgefallen.
Es war eure Pflicht, zum Schillerdenkmal zu gehen und es
genau zu beschreiben. Die meisten von euch dachten aber:
wir kennen das Denkmal ohnehin, wir brauchen nicht hinzu-
gehen. Daher ist die Beschreibung so oberflächlich geworden.
20 Eine schöne Ausnahme ist Liselottes Arbeit. Man merkt, daß
sie das Denkmal ordentlich betrachtet hat. Brav, Liselotte!"

[1] Feuerwehr, dative with *gelingen*.

Einkauf mit Hindernissen

Eine junge Dame betrat das Warenhaus „Alles für jeden."

„Womit kann ich dienen?" fragte der Verkäufer höflich.

„Ich brauche ein Geschenk für einen achtjährigen Jungen," sagte die Dame nachdenklich. „Es soll nicht zu teuer sein, aber doch eine gute Qualität haben. Es soll erzie- 5 herisch wirken und dem Jungen doch Freude bereiten. Es soll . . ."

„Ich verstehe vollkommen. Das beste, was ich vielleicht raten kann, ist eine Kinderflöte. Sie weckt in dem Kinde musikalische Talente, macht Freude und ist aus gutem Ma- 10 terial, obgleich sie nur fünf Mark kostet."

Er packte das Instrument ein und wies die Dame an die Kasse.

Einige Sekunden später stand sie jedoch wieder vor ihm. „Ich habe mir die Sache überlegt," begann sie zaghaft. „Der 15 Junge wird den ganzen Tag Lärm mit der Flöte machen, und seine Eltern sind sehr nervös. Sie müssen das Instrument zurücknehmen. Bezahlt habe ich es ohnehin noch nicht."

„Zurücknehmen kann ich leider nichts," erwiderte der Verkäufer in ruhigem Tone, „das ist in unserem Geschäft 20 nicht üblich. Aber ich kann es Ihnen gegen etwas Gleichwertiges umtauschen. Suchen Sie sich bitte etwas aus."

Er häufte vor der Dame einen kleinen Berg von verschiedenem Kinderspielzeug auf.

„Wenn ich mir einen Vorschlag erlauben darf, dann wählen Sie einen Fußball. Sport stählt den Körper des Kindes und bereitet den Menschen für seinen Lebenskampf vor. Außerdem kann man Fußball nicht in der Wohnung spielen; 5 daher werden die Nerven der Eltern geschont."

Die Dame nickte. Der Verkäufer packte den Ball ein und sah erleichtert, wie die Käuferin zur Kasse ging, um zu zahlen. Doch knapp vorher kehrte sie um.

„Es geht doch nicht," sagte sie. „Der Junge wird den 10 ganzen Tag auf den Wiesen spielen, wird nichts lernen und erhitzt nach Hause kommen. Sie müssen den Ball zurücknehmen!"

„Zurücknehmen ist nicht möglich," erwiderte der Verkäufer und zwang sich zu einem mühsamen Lächeln. „Das 15 ist in unserem Geschäft nicht üblich. Aber vielleicht gegen etwas Gleichwertiges umtauschen?"

Sie tauschten. Ein Band Indianergeschichten war zu aufregend, ein Schmetterlingsnetz zu grausam und ein Schreckrevolver zu gefährlich.

20 Schließlich entschloß sie sich, das Kinderbuch: „Summ', Bienchen, summ'!" zu nehmen.

Sie nahm das Buch unter den Arm und entfernte sich. Knapp vor der Tür holte sie der Verkäufer ein. „Verzeihen Sie, Sie haben vergessen, das Buch zu bezahlen," sagte er, so 25 freundlich er konnte. Die Höflichkeit, zu der alle Angestellten der Firma verpflichtet waren, fiel ihm bereits schwer.

„Das Buch?" meinte die Dame erstaunt. „Ich soll Ihnen das Buch bezahlen?"

Dem Verkäufer perlte der Schweiß von der Stirn. „Sie 30 haben es doch gekauft!"

„Gewiß. Aber, dafür habe ich Ihnen doch den Fußball zurückgegeben."

„Der kostet dasselbe. Zahlen Sie also, bitte, den Fußball."

„Für den Fußball habe ich Ihnen die Flöte gegeben!"

„Du lieber Himmel, dann zahlen Sie eben die Flöte!"

„Die Flöte habe ich ja gar nicht gekauft!!"

Der Verkäufer starrte sie mit offenem Munde an. In seinem 5 Kopf begann sich alles zu drehen. Seine Geduld war endgültig zu Ende.

„Sie sind eine unverschämte Person!" rief er aus und fühlte sich sehr erleichtert.

Die Dame fuhr wie von einer Schlange gebissen in die 10 Höhe. „Wa-a-s?" schrie sie. „Was haben Sie gesagt? Ich bin eine unverschämte Person? Das werden Sie sofort zurücknehmen!"

„Zurücknehmen nicht," röchelte der Verkäufer. „Das ist in unserem Geschäft nicht üblich. Aber ich kann es Ihnen 15 gegen etwas Gleichwertiges umtauschen."

* 7 *

Tante Alice steckt im Lift

ALS DER Lärm zu stark wurde, öffnete Hans die Wohnungstür
und trat auf den Gang des Miethauses hinaus. „Was ist denn
los?" fragte er.

„Es steckt jemand im Lift," sagte eine Nachbarin. „Ich
5 glaube, es ist die grauhaarige Dame, die immer zu Ihnen
kommt . . ."

„Wie? Die Tante Alice [1]?"

Die Nachbarin war bereits wieder in ihrer Wohnung verschwunden. Für sie war die Angelegenheit erledigt.

10 Für Hans leider nicht. Tante Alice war täglich der liebe
Gast bei Hansens Familie. Sie führte wichtige Einkaufsge-
spräche mit seiner Mutter und brachte ihm selbst häufig
allerlei Aufmerksamkeiten mit. Sie pflegte niemals den Lift
zu benützen, denn Hans und seine Eltern wohnten bloß im
15 zweiten [2] Stock.

Tante Alice war in technischen Dingen etwas unbeholfen;
daher hatte Hans einige Besorgnisse. Er erinnerte sich, daß
sie einmal einen Schuhlöffel statt eines Korkziehers benützen
wollte.

20 Es mußte Abhilfe geschaffen werden. „Tante Alice,"
rief er in den Schacht hinunter, „ich werde alles gleich
ordnen!" Er mußte laut rufen, denn der Schacht war gegen

---

[1] **Alice,** pronounce *c* as a voiceless *s,* a'liːsə.
[2] **im zweiten Stock,** "in the third story" (two flights up).

den Hausflur in jedem Stock durch eine Eisentür abgesperrt.
Der Lift war vollkommen in die Mauer eingebaut und nicht
sichtbar.

„Man sollte ein brennendes Papier in den Schacht werfen,
damit man etwas sehen kann," sagte der kleine Humburger, 5
der immer allerhand Unfug trieb.

So rasch wie Hans gedacht hatte, war die Sache mit dem
Lift nicht in Ordnung zu bringen. Zunächst holte er einen
Schlüssel, um die Eisentür aufzusperren. Eben wollte er dies
tun, als ihn sein Freund Kurt, der gleichfalls herbeigekom- 10
men war, erschrocken daran hinderte. Es war ungefähr so,
wie wenn ein Mörder, der schon den Revolver auf sein Opfer
gerichtet hat, im letzten Augenblick von seiner Tat abge-
halten wird.

„Was fällt dir ein!" rief Kurt. „Wenn du hier aufsperrst, 15
stürzt vielleicht der ganze Lift, der irgendwo zwischen dem
ersten und zweiten Stock hängt, hinunter . . . !"

Hans hielt betroffen inne. „Also, was soll ich dann eigentlich tun?"

„Den Hausbesorger rufen — selbstverständlich," sagte 20
Kurt.

Kurt traf manchmal den Nagel auf den Kopf. Hans jedoch
traf leider den Hausbesorger nicht. Er rüttelte verzweifelt an
der Tür, auf welcher „Hagenbucher" in großen Buchstaben
stand. Herr Hagenbucher war nicht da. Frau Hagenbucher 25
auch nicht.

„Vielleicht ist er im Tabakladen nebenan," sagte jemand.

Hans stürzte aus der Haustür und lief in den Tabakladen.
Da war er auch nicht. „Vielleicht ist er auf der Post," meinte
die Tabakhändlerin. 30

„Wenn das so weitergeht," dachte Hans, „bin ich in einer
halben Stunde am anderen Ende der Stadt." Er gab es auf

und kehrte in den zweiten Stock zurück. „Er ist nicht da,"
sagte Hans niedergeschlagen, „ich werde den Elektriker
holen."

„Er wird das Geschäft schon geschlossen haben," [1] belehrte
5 Kurt seinen Freund. „Es ist sechs Uhr vorbei."

„Zum Kuckuck . . .!" Hans war etwas gereizt. Ganz nahe
trat er an die Eisentür, um durch sie hindurch in den Schacht
zu rufen. „Tante Alice!"

„Ja," tönte eine schwache Stimme zurück.

10 „Sie lebt," stellte Hans fest. „Durch Zurufe ermuntert man
sie."

„Man sollte die Feuerwehr rufen," sagte der ungezogene
kleine Humburger.

„Das hat Zeit," gab Kurt zurück, „bis du das nächste Mal
15 brennende Papiere in den Hof wirfst . . ."

„Unerhört!" schrie der Humburger, „ich habe nie brennende Pa——"

„Ich weiß," unterbrach Kurt, „du hast auch nie heimlich
an der Tür geklingelt und bist dann fortgelaufen; du hast
20 nie Zwetschkenkerne vor die Tür gelegt, damit man aus-
rutscht; du hast nie . . ."

„Nie, nie, nie . . ." brüllte der Bub.

„Ruhe," ermahnte Hans, „Tante Alice steckt im Lift!"

Niemand hörte auf ihn. Die anwesenden Mieter, deren
25 Zahl sich infolge des Lärmes stark vermehrt hatte, begannen
sich für den Streit der Buben bedeutend mehr zu interessieren,
als für die arme Tante Alice. Rasch hatten sich zwei Parteien
gebildet, die Kurtpartei und die Humburgerpartei. Statt mit
Worten wurde sehr bald mit Besen gestritten, wobei sich be-
30 sonders die Stubenmädchen eifrig beteiligten.

---

[1] wird . . . geschlossen haben, "has probably closed." The future tenses
are frequently used to indicate probability.

Hans stand einsam vor dem Schacht. Er lief nochmals zur Wohnung des Hausbesorgers Hagenbucher und rüttelte vergeblich an der Tür. Er versuchte vorsichtig den Liftschlüssel, wagte aber aus Furcht vor einem Unglück nicht aufzusperren. Oben im Hausflur ertönte ein Höllenlärm. 5
Ein Polizist erschien. „Was ist denn hier los?" fragte er.
Eine wohltuende Stille trat plötzlich ein, wie wenn ein Lautsprecher mit energischem Griff abgedreht wird. Bestürzt sahen sich die Kämpfer an. Hans trat vor. „Jemand steckt im Lift," sagte er und fühlte sich als Retter der Situa- 10 tion. „Wir wissen uns keinen Rat."
Der Polizist wandte sich der Eisentür zu: „Ach so! Es steckt jemand im Lift. Ja — wieso denn? In welchem Stock?"
„Zwischen dem ersten und zweiten Stock," sagte Hans. 15 „Der Lift ist plötzlich stecken geblieben. Vielleicht ist ein Kurzschluß entstanden."
„Ach was!" sagte der Polizist geringschätzig. „Wahrscheinlich ist die Tür des Lifts während der Fahrt aufgemacht worden . . ." 20
Eine fabelhafte Idee!
„Tante Alice!" rief Hans gegen die Eisentür. „Wenn die Lifttür offen ist — mach' sie zu!!"
Ein dumpfes Geräusch war hörbar. Und dann erscholl — o liebliche Musik — der singende Ton des aufwärtsfahrenden 25 Lifts.
Die Eisentür öffnete sich von innen — wie ein Taucher aus den Tiefen des Meeres entstieg Tante Alice bleich und zitternd dem Aufzug. Eine rosa [1] klebrige Masse lief über ihre Hand. 30
„Na also," sagte der Polizist und entfernte sich.

[1] rosa, indeclinable adjective (like *lila*), from the Latin substantive *rosa*.

„Wieso . . ." stotterte Hans, „hast du die Tür aufgemacht?"

„Ich habe während der Fahrt Angst bekommen," sagte die alte Dame. Man darf nicht vergessen, daß die Tante Alice, wie gesagt, in technischen Dingen etwas unbeholfen war. Zu ihrer Zeit fuhr man noch im Pferdewagen.

„Und du hast nicht daran gedacht, die Tür wieder zu schließen," seufzte Hans fassungslos. „Tante Alice," sagte er dann sanft, „sage mir nur eines: Warum bist du denn überhaupt im Lift gefahren? Das tust du doch sonst nie! Und wir wohnen doch auch gar nicht so hoch?"

„Ich hatte Eile," sagte die liebe alte Tante und deutete auf die rosarote Soße, die von ihrer Hand tropfte, „ich habe dir nämlich ein Gefrorenes mitgebracht!"

✳ 8 ✳

Wenn einer eine Reise tut . . .

„WENN EINER eine Reise tut, dann kann er was erzählen,"
sagt ein bekanntes Sprichwort.

Hasenbichler und Simmerling sind zwar nie aus ihrer
Heimatstadt herausgekommen, aber sie erzählen gern von
ihren Reisen. Da andere Leute über die beiden nur lächeln, 5
erzählen sie sich ihre angeblichen Erlebnisse gegenseitig. Sie
haben ein paar ausländische Filme gesehen, ein paar Reise-
bücher gelesen, und den Rest überlassen sie ihrer Phantasie.
Wenn sie bei dieser Gelegenheit Geographie, Sitten und Gebräuche etwas durcheinander mischen, tut das auch nichts. 10

Eines Abends saßen die beiden Freunde wieder einmal im
Wirtshaus bei einem Glas Bier.

„Tja," sagte Hasenbichler, „man muß verflixt vorsichtig
sein, beim Reisen. Einmal bin ich durch eine Unvorsichtigkeit um eine wertvolle Handtasche gekommen."   15

„Schieß los," sagte Simmerling.

„Eine wertvolle Tasche," wiederholte Hasenbichler gedankenvoll. „Sie enthielt 10 000 Pesos, die mir der Kaiser von
Ägypten für einen kleinen Dienst zur Belohnung geschenkt
hatte. 10 000 Goldpesos . . ." [1]   20

Simmerling sah gespannt auf seinen Freund.

[1] **Goldpesos.** The peso is a Spanish *silver* coin, approximately a dollar.
The reader will note the ridiculous errors of which these yarnspinners
are guilty in their imaginative stories; *cf.* Japanese jinrickshas in Egypt,
(Australian) kangaroos native in Tibet, etc.

„Ich war gerade im Begriffe, Ägypten zu verlassen," sagte
Hasenbichler und nahm einen tiefen Schluck. „Das Schiff,
das mich nach dem Kongo bringen sollte, lag im Hafen von
Kairo. Mein Gepäck war säuberlich am Kai aufgestellt. Ein
5 Kuli hatte es eben in einer Rikscha gebracht. Du kennst ja
diese Kulis . . ."

„Gewiß," nickt Simmerling, „ich war ja auch einige Male
in Ägypten."

„Ich war bereits an Bord gegangen und rief dem Kuli zu,
10 das Gepäck ins Schiff zu bringen. Er brachte auch tatsächlich
einen Koffer nach dem anderen, bis zuletzt nur noch die
Tasche mit den 10 000 Pesos am Kai stand. Da kam plötzlich
ein anderer zerlumpter Kuli herbei, ergriff die Tasche und
lief davon. Ich schrie sofort nach einem Polizisten, aber mein
15 Gepäckträger winkte ab. ‚Ich kenne diesen Kerl,‘ rief er,
‚ich erwische ihn schon.‘ Und er rannte, so rasch er konnte,
dem Dieb nach. Einen Augenblick später waren beide auf
Nimmerwiedersehen verschwunden.

‚Ein alter Trick,‘ sagte ein Polizist, der schließlich her-
20 beikam. ‚Die beiden arbeiten zusammen.‘ Einige Minuten
später fuhr das Schiff ab. Ich konnte natürlich nicht wegen
der lumpigen 10 000 Pesos meine Zusammenkunft mit
Mbungi-Bong, dem Petroleumkönig von Kongo, versäumen,
und so fuhr ich ab, ohne weiter der Tasche nachzujagen."

25 „Zu dumm," brummte Simmerling, „zu dumm. Das
erinnert mich an einen ähnlichen Fall, der mir in Tibet
passiert ist. Nur mit dem Unterschied, daß ich mein Eigentum zurückbekam."

„Ich bin ganz Ohrläppchen," versicherte Hasenbichler.

30 „Ich kam gerade nach einer aufregenden Löwenjagd
todmüde im Grand Hotel Dalai Lama an und rastete ein
wenig unter den tropischen Palmen des Hotelgartens. Einige

arabische Diener brachten mein Gepäck von der Eisenbahn-
station, dem Hotel gegenüber, in mein Zimmer. Ich war wohl
nicht sehr aufmerksam, denn mein Interesse war von einem
einheimischen Känguruh gefesselt, das seine drolligen
Sprünge im Garten ausführte und tibetanische Weintrauben 5
aus meiner Hand fraß. Da ertönte plötzlich lautes Geschrei,
und ich sah, wie einer der Diener einem fremden Kerl
nacheilte, der soeben mit einem meiner kleinen Koffer
davonlief."

„Ganz wie in Kairo," murmelte Hasenbichler. „Ganz wie 10
in Kairo."

„Nein, — nicht ganz so." Simmerling schüttelte den Kopf.
„Der Diener kam zurück."

„Mit der Tasche?"

„Mit der Tasche." 15

„Und allem Inhalt?"

„Alles war da."

„Hm — diese Tibetaner sind ehrliche Leute."

„Ja, das dachte ich auch. Ich gab dem Diener ein schönes
Trinkgeld, zwei oder drei Rupien, zur Belohnung. Erst viel 20
später, als ich in Madagaskar einen befreundeten Globetrot-
ter traf, der auch seinerzeit im Hotel Dalai Lama abgestiegen
war, änderte ich meine Meinung. Mein Freund erzählte mir
nämlich, daß ihm genau dasselbe passiert war. Die beiden
Helden — der Diener und der fremde ‚Dieb' — sind gute 25
Freunde, die jedem neuen Reisenden denselben Schabernack
spielen und dann die Belohnung teilen."

Ja ja. Wenn einer eine Reise tut, dann kann er was erzählen.

∗ 9 ∗

Der geheimnisvolle Koffer

IN DER Halle des Carlton-Hotels, nicht weit von der Loge des Portiers, stand ein Koffer. Es war ein kleiner, aber sehr vornehmer schwarzer Lederkoffer. Aus der Sorgfalt, mit der der Besitzer diesen Koffer behandelte, schloß Johann, daß der
5 Inhalt wertvoll sein mußte.

In solchen Dingen wußte Johann Bescheid. Wenn ein vornehmer Herr in Smoking, schwarzem Mantel und Zylinder seinen Koffer nicht dem Diener übergibt, sondern selbst durch die Halle des Carlton-Hotels schleppt, ist der
10 Inhalt entweder Schmuck oder Wertpapiere. Beides konnte Johann gut brauchen.

Plötzlich wurde der vornehme Herr zum Telefon gerufen und stellte den Koffer neben den Portier. Aber dieser mußte gerade einer alten Dame Auskünfte geben und achtete daher
15 einige Sekunden nicht darauf. Diese kurze Zeit genügte Johann, den Koffer unbemerkt zu ergreifen, die Hotelhalle zu verlassen und in ein Taxi zu springen.

So — hier saß er nun, den wertvollen Koffer auf den Knien, und freute sich bereits auf das Öffnen. Was wird der Inhalt
20 sein? Juwelen, Bargeld, Wertpapiere? Vorsichtig machte er den Deckel auf.

Der Koffer war leer.

Ärgerlich rief er dem Chauffeur zu, stehenzubleiben. Bei diesem schlechten Handel wollte er nicht noch Fahrspesen

„Was, zum Teufel, soll das heißen?" rief der Polizist

haben. Widerwillig zahlte er und war wenigstens froh, den gestohlenen Koffer im Auto liegen lassen zu können. Auf diese Weise hatte er keine Sorge, wie er ihn wieder loswerden sollte.

5 Er war kaum zehn Schritte gegangen, als ihm jemand auf die Schulter klopfte.

„Sie haben Ihren Koffer im Wagen vergessen," sagte der Chauffeur freundlich und reichte ihm das schwarze, verwünschte Ding. Trinkgeld mußte Johann ihm auch noch 10 geben.

Nun stand er mit dem gestohlenen Koffer in der großen Hauptstraße. Zum Unglück näherte sich ihm nun auch die dicke Amerikanerin, der er seit zwei Tagen den Hof machte, um in die Nähe ihrer Diamantenbrosche zu kommen.

15 „Herr Reinhold!" rief sie (unter diesem Namen hatte er sich ihr vorgestellt) „wohin gehen Sie mit diesem reizenden, kleinen Koffer?"

„Zu Ihnen, Miss," antwortete Johann geistesgegenwärtig, „und diesen reizenden, kleinen Koffer habe ich Ihnen mitge-20 bracht!"

„Oh," sagte die Amerikanerin und besah das seltsame Geschenk. Sie war mit den europäischen Bräuchen noch nicht sehr vertraut; vielleicht schenkte man hier Damen, die man erst zwei Tage kannte, kleine Koffer. Vielleicht auch war das 25 eigentliche Geschenk erst darin. Sie öffnete den Koffer.

„Ach!" rief sie begeistert, „das ist aber freundlich von Ihnen! Wie schön, wie herrlich!" Sie entnahm dem Koffer einen großen Strauß roter, prächtiger Rosen. „Ich glaubte anfangs, Sie wollten mir den Koffer selbst schenken." Sie 30 gab ihn Johann wieder zurück. „Ach, wie originell Sie sind! Wie haben Sie diesen Riesenstrauß da hineinbringen können?"

Johann wußte das leider selbst nicht. Er sah nur, daß er den Unglückskoffer schon wieder in der Hand hatte und sich überdies noch mit der Amerikanerin unterhalten mußte. Mit Mühe versuchte er ein Gespräch. Es schien ihm, als blickten [1] alle Vorbeigehenden auf ihn, seinen Koffer und den unnatür- [5] lich großen Blumenstrauß.

Plötzlich legte sich eine Hand auf seinen Arm. Als er sich umsah, stand ein großer Polizist vor ihm, der auf den Koffer zeigte. Doch statt Johann zu verhaften, wie dieser erwartet hatte, grüßte er höflich und sagte: „Verzeihung, Herr, Sie [10] verlieren da etwas aus Ihrem Koffer!"

Aus dem Koffer hing wie eine Teufelszunge ein rotes Band heraus. Als Johann es ärgerlich hervorzerrte, nahm es gar kein Ende. Es quoll aus dem leeren Koffer heraus wie ein Wasserfall aus dem Felsen. Nach dem roten Band kam ein [15] blaues, ein grünes, ein weißes, ein gelbes zum Vorschein, ferner eine Riesenflagge Englands und der Vereinigten Staaten von Amerika, schließlich schlüpften zwei Kanarienvögel heraus, die sich lustig piepsend rechts und links auf Johanns Schultern setzten.   [20]

„Was, zum Teufel, soll das heißen?" schrie der Polizist, dessen Augen vor Verwunderung immer größer geworden waren.

In diesem Augenblick drängte sich ein zweiter Polizist durch die Menge, die sich bereits gesammelt hatte. „Hier ist [25] er!" rief er erregt. Dann wandte er sich erklärend an seinen Kollegen:

„Dem Zauberkünstler Signor Veldetti wurde vor wenigen Minuten im Carlton Hotel sein Koffer gestohlen. Es ist sein Zauberkoffer . . ."   [30]

---

[1] **als blickten** = *als ob (wenn)* . . . *blickten.*

✳ 10 ✳

Der Mann mit dem
Gummiball

FRIEDRICH war ein Einbrecher. Er hatte einen einfachen Trick,
um festzustellen, ob ein Zimmer bewohnt war oder nicht. Er
spazierte durch entlegene Gassen; sah er [1] ein offenes ebenerdiges Fenster, dann warf er einen Gummiball hinein.
5 Und nun gab es zwei Möglichkeiten: entweder es zeigte sich
eine schimpfende Gestalt, dann [2] entschuldigte er sich, daß
der Ball beim Spielen durch das Fenster gefallen war; oder
es zeigte sich niemand, dann wußte er, daß das Zimmer leer
war und stieg ein. Mit diesem Trick hatte er in den letzten
10 vierzehn Tagen sehr gute Beute gemacht.

Eines Abends entdeckte er eine kleine Villa am Rande der
Stadt. Weit und breit war kein Mensch zu sehen,[3] und ein
ebenerdiges Fenster stand einladend offen. Friedrich warf
seinen Ball hinein und, da sich niemand zeigte, folgte er
15 selbst nach. Das Zimmer war groß und vornehm eingerichtet;
in der Ecke stand ein Kasten. Friedrich vermutete, daß er
Schmuck enthielt. Er öffnete eine Lade: da gab es Ringe,
Krawattennadeln und eine goldene Uhr.

---

[1] **sah er** = *wenn er . . . sah.* Inverted word order indicates omission
of the *wenn,* as in English: *Had I* the money.

[2] **dann,** for the more literary *so.*

[3] **zu sehen.** The infinitive, usually active in meaning ("to see"), is here
passive ("to be seen").

Bevor Friedrich diese Gegenstände einstecken konnte, öffnete sich die Tür. Ein kleiner, ungefähr vierzigjähriger Mann wurde sichtbar. „Was soll das bedeuten?" fragte er überrascht.

„Verzeihung, Herr," sagte Friedrich wie gewöhnlich, 5 „mir ist mein Ball ins Zimmer gefallen und ich suche ihn gerade."

Der Mann blickte ihn mißtrauisch an. „In einer geschlossenen Lade?"

Friedrich liebte keine Gewalttaten, aber die goldenen 10 Ringe waren zu verlockend. Er war ein starker Bursche und in weniger als fünf Minuten hatte er den Hausherrn an Händen und Füßen gefesselt. Damit er keine Hilfe herbeirufen konnte, steckte ihm Friedrich ein Taschentuch in den Mund. Dann versperrte er die Tür, schloß die Fenster und 15 wandte sich nun dem Kasten zu. Er steckte den ganzen Schmuck ein und beeilte sich nicht besonders, denn er wußte, daß der Mann hinter ihm sich nicht bewegen und nicht um Hilfe rufen konnte.[1]

Plötzlich aber hörte er hinter sich eine starke eindringliche 20 Stimme: „Hände hoch, oder ich schieße!" Friedrich wollte sich umdrehen, aber die Stimme wiederholte: „Rühre dich nicht, oder du bist eine Leiche!"

Friedrich stand gehorsam still, und streckte die Hände in die Höhe. Er konnte sich nicht erklären, wer zu ihm 25 sprach. Denn es war unmöglich, daß sich der gefesselte Mann befreit hatte. Ebenso unmöglich war es, daß ein anderer Mensch durch die versperrte Tür oder das geschlossene Fenster gekommen war. Er konnte das Rätsel aber nicht lösen, denn er wagte nicht sich umzudrehen. 30

„Drücke auf den Knopf vor dir!" befahl nun die Stimme.

[1] konnte, auxiliary to both *bewegen* and *rufen*.

Als Friedrich nicht sofort gehorchte, wiederholte sie, kurz
und energisch: „Klingle, oder ich schieße!"

Friedrich gab jeden Widerstand auf. Zitternd gehorchte
er und drückte auf den Knopf. Es war schrecklich, daß er
5 selbst die Alarmglocke läuten mußte, die der ängstliche
Hausherr installiert hatte.

Draußen hörte man Schritte. „Brechen Sie die Tür ein!"
rief die rätselhafte Stimme den Leuten außerhalb des Zimmers zu, die zu Hilfe gekommen waren. „Ein Dieb ist hier!"
10   Mit einigen Fußtritten wurde die Tür gesprengt. Ein
Diener trat ein, mit einem Schürhaken bewaffnet. Das Zimmer bot einen seltsamen Anblick. Vor dem Kasten befand
sich Friedrich. Er stand mit dem Gesicht zur Wand, hatte
die Hände in der Höhe, war bleich und zitterte. Hinter ihm
15 lag der Hausherr auf dem Sofa, gefesselt und hilflos. Sonst
war niemand im Zimmer.

Friedrich leistete keinen Widerstand. Bald war er gefesselt
und der Hausherr befreit. Friedrich konnte sich immer noch
nicht erklären, wem die schrille drohende Stimme gehört
20 hatte.

Bald darauf kam die Polizei. „Aha!" sagte der Beamte, „da
ist der Mann mit dem Gummiball. Wir suchen ihn schon
lange." [1] Er wandte sich an den Hausherrn. „Wie heißen
Sie?"

25   „Michael Roblinger," gab der kleine Mann an.

„Und Ihr Beruf?" fragte der Polizist.

„Ich trete im Varieté auf," sagte er, „ich bin Bauchredner!"

---

[1] Wir suchen ihn schon lange, present tense, for English perfect, because
the action is continuing in present time; cf. p. 10, note 2.

Tante Bertas Besuch

DER POSTBOTE brachte einen dicken Brief. Vater setzte seine
Brille auf und öffnete ihn. Während des Lesens wurde sein
Gesicht lang und länger.

„Ein Brief von Tante Berta," sagte er und warf Mutter
einen bedeutungsvollen Blick zu. „Sie kommt Freitag zu 5
Besuch und wird einige Tage bei uns wohnen."

„Wie lange?" fragte Mutter. Vater zuckte die Schultern.
„Sie schreibt es nicht," sagte er.

Tante Berta war in der Familie nicht besonders beliebt. Sie
besaß selbst ein schönes Haus mit einem großen Garten, aber 10
sie besuchte stets die Verwandten für längere Zeit. Leider
benahm sie sich nicht als Gast, sondern nörgelte von früh
bis abends. Da sie aber schon ältlich war und zur Familie
gehörte, konnte man schwer etwas dagegen tun, wenn sie
sich selbst einlud. 15

Fritz und Susi waren ebensowenig erfreut über die Nachricht wie ihre Eltern.

„Die Tante läßt mich nie im Hof spielen," sagte Susi.
„Sie sagt, ich darf mir die Hände nicht schmutzig machen."

„Sie läßt mich nicht auf die Bäume klettern," sagte Fritz. 20
„Sie behauptet, ich zerreiße meine Hosen. Ich habe mir
höchstens vier- oder fünfmal die Hosen zerrissen."

Die Kinder zogen sich zur Beratung zurück.

„Können wir nicht etwas tun, daß sie bald wieder
wegfährt?" sagte Susi grimmig. 25

Fritz dachte nach. „Ich werde mir Pauls Pudel ausborgen,"
sagte er nach einer Weile. (Paul war der Sohn des Nachbarn.) „Paul sagt, seine Großmutter kann Hunde absolut
nicht leiden. Vielleicht kann auch Tante Berta Hunde nicht
5 leiden . . ."

Als Tante Berta am Freitag mit siebzehn Koffern eintraf,
sprangen drei Hunde im Hause herum. Fritz hatte nicht
nur Pauls Pudel ausgeborgt, sondern noch zwei andere
Hunde aus der Nachbarschaft, einen Dackel und einen
10 Pinscher.

Tante Berta trat in die Tür, eine große, runde Hutschachtel
in der Hand. Als sie die drei Hunde sah, sperrte sie den Mund
auf und ließ überrascht die Hutschachtel fallen, so daß der
Deckel herunterfiel, und alle Sachen im Zimmer herum-
15 kollerten.

„Fritz," rief sie scharf. „Siehst Du nicht, daß mir die
Schachtel aus der Hand gefallen ist? Such' die Sachen zusammen und leg' sie wieder in die Schachtel — aber ordentlich!"

20 Dann beugte sie sich über den Pudel.

„Ach, du süßes Tier," rief sie entzückt. „Komm doch mal
her und gib Pfötchen!" Sie streichelte sein weiches Fell.
„Wulli, wulli, wulli," sagte sie, was gar nichts bedeutet —
das sollte offenbar eine Liebkosung sein.

25 Der Dackel und der Pinscher kamen herangesprungen.[1]
„Ach, ihr lieben Tierchen," rief die Tante. „Ihr seid wohl
hungrig. Sicher gibt man euch nicht genug zu fressen, ihr
Armen, ihr Bedauernswerten, ihr Unglücklichen." Streng
rief sie Susi. „Susi — geh' gleich in den Laden und bring
30 diesen armen Tieren etwas Hundekuchen. Mutter wird dir
Geld geben."

---

[1] kamen herangesprungen, see p. 5, note 1.

Ein schrecklicher Schrei ertönte

Aber Susi hatte rasch einen Entschluß gefaßt. „Diese Hunde gehören nicht uns," sagte sie. „Wir hatten sie nur auf eine Weile hier zum Spielen — ich muß sie nun zurückbringen."

5 „Spielen!" rief die Tante. „Wahrscheinlich quält ihr die Tierchen."

Aber Susi hörte nicht mehr, sondern lief mit den Hunden davon.

„Das ist mißglückt," sagte Fritz. „Wir müssen etwas 10 anderes versuchen. Glaubst du, daß sie Katzen mag?"

„Katzen hat sie ebenso gern wie Hunde," sagte Susi. „Ich habe sie gefragt."

„Ich werde Raupen nach Hause bringen," beschloß Fritz. „Dicke haarige Raupen, die wir im Zimmer herumkriechen 15 lassen."

Auf der Wiese neben dem Haus gab es viele Raupen. Susi und Fritz sammelten sie in einer Papiertüte und brachten sie nach Hause.

Sofort zeigten sie der Tante die Raupen.

20 Die Tante machte einen langen Hals und blickte in die Tüte. „Die guten Räupchen!" sagte sie gedankenvoll. „Wie zierlich sie auf und ab krabbeln. Wißt ihr auch, daß aus diesen Räupchen eines Tages wunderschöne Schmetterlinge werden?"

25 „Jaaa," sagte Fritz gedehnt. „Das wissen wir. Aus diesen Raupen werden aber nur ganz gewöhnliche Kohlweißlinge."

Die Tante wurde streng. „Aber in einer solchen Tüte gehen sie doch zugrunde. Ihr müßt den Räupchen eine schöne Schachtel suchen, Blätter, Erde und Wasser hineintun 30 und das Futter täglich erneuern. Nur dann können sie wachsen und gedeihen."

„Wir wollen sie wieder auslassen," sagte Fritz mit einem
Seufzer.

Einige Tage später kam er mit einer größeren Holzschachtel nach Hause.

Susi wollte sie gleich aufmachen. „Psst!" sagte Fritz. 5
„Warte, bis Tante Berta nach Hause kommt. Weißt du, was
da drin ist? Eine Schlange! Ich hab' sie selbst gefangen. Ich
will einen Besen fressen, wenn die Tante nicht entsetzt das
Haus verläßt, sobald ich die Schlange ausgelassen hab'."

Susi schauderte. „Du willst die Schlange auslassen?" sagte 10
sie ängstlich. Susi sah so aus, als ob sie selbst lieber das Haus
verlassen wollte.

„Es ist eine harmlose Schlange," belehrte sie Fritz. „Keine
giftige."

Als sie alle bei Tisch saßen, Vater, Mutter, Tante und die 15
Kinder, hörte man plötzlich ein merkwürdiges Geräusch im
Zimmer.

„Mir scheint, wir haben eine Schlange im Haus," sagte
Fritz so nebenbei. „Vielleicht eine menschenfressende Ana-
konda, oder eine giftige Kobra." 20

In diesem Augenblick kam tatsächlich die Schlange un-
term Teppich hervorgekrochen, unter den Fritz sie vorher ge-
steckt hatte. Mutter sprang entsetzt auf. „Raus!" rief sie,
„Werft die Schlange hinaus — schnell!"

Aber die Tante lächelte nur. „Wie komisch ihr alle seid," 25
sagte sie. „Ihr wißt doch gar nichts von Tieren. Das ist doch
bloß eine harmlose Ringelnatter. Ein sauberes und nützliches
Tier, das viele Gartenschädlinge frißt. Man kann es ruhig
in die Hand nehmen."

Sie bückte sich und faßte die Schlange an, die sie mit 30
klugen Äuglein anblinzelte. „Leute glauben, daß Schlangen

naß oder schleimig sind — ist ja gar nicht wahr." Und sie ließ sich die Schlange um den Arm ringeln. Dann ließ sie sie frei in den Garten schlüpfen.

Als das Nachtmahl vorbei war, brachte Susi einen Besen.

5 „Du kannst ihn nun auffressen," sagte sie zu Fritz.

In derselben Nacht ertönte plötzlich ein schrecklicher Schrei im Haus. Alle sprangen aus den Betten und liefen in die Halle. Der Schrei kam aus dem Zimmer der Tante Berta. Als die Kinder die Tür öffneten, sahen sie die Tante auf dem 10 Tisch mit einem Schirm in der Hand.

„Eine Maus!" schrie sie entsetzt. „Eine furchtbare Maus! Fritz — sofort fängst du die Maus, rasch, rasch! Wo ist eine Falle . . ."

„Das wird wenig helfen," sagte Fritz. „Wir haben schon 15 alles versucht, sie zu fangen. Es ist eine sehr schlaue Maus. Und ihre Kinder sind auch ganz raffinierte Tiere."

„Wa-a-s-s??!!" schrie die Tante, „das ganze Haus ist voller gräßlicher Mäuse?! Morgen früh verlasse ich euch mit dem ersten Zug — und ich komme nicht wieder zurück!"

12

Der schwarze Teufel

BEI EINHORNS gab es eine große Geburtstagsfeier. Grete
wurde zwölf Jahre alt; Felix wurde auch zwölf Jahre alt;
und Richard ebenfalls. Das war aber alles kein Wunder, denn
die Einhorns waren Drillinge.

Es war aber auch kein Wunder, daß bei ihren Geburtstags- 5
feiern immer dreimal so viele Kinder eingeladen waren wie
bei anderen Geburtstagsfeiern. Und daß es dreimal so viele
Geschenke gab. Und dreimal so viel Spaß.

Die Feier fand diesmal in Onkel Pauls Garten statt. Onkel
Paul hatte einen langen schwarzen Bart und einen goldenen 10
Kneifer. Was ihm aber fehlte, war der kleine Finger der
rechten Hand. Aber gerade das machte ihn am berühmtesten.
Denn er unterließ es niemals zu erwähnen: „Diesen Finger
hat mir eine giftige Schlange auf meiner Reise in Indien abge-
bissen. Jaja!" Und dabei nickte er jedesmal mit dem Kopf, 15
so daß sein Bart und sein Kneifer wackelten.

„Die Geburtstagskinder leben hoch, hoch, hoch!" rief
Onkel Paul. „Die Dreihorns [1] leben hoch!" Das war sein
Lieblingswitz, und er machte ihn an jedem Geburtstage der
Drillinge, wenn er nicht gerade in Indien war. 20

Dann tranken alle Apfelsaft und aßen zwölf Torten auf.
Schließlich spielten die Kinder im Garten Verstecken. Eines

---

[1] „Die Dreihorns" jocular for „Die drei Einhorns." *Einhorn* means
unicorn.

der Kinder stellte sich mit dem Gesicht zu einem Baum, hielt die Augen geschlossen und zählte bis hundert. Dann machte es sich auf die Suche nach den anderen Kindern, die sich inzwischen versteckt hatten und nun versuchen mußten, 5 den Baum zu erreichen, bevor der Suchende sie erblickt hatte. Onkel Paul saß inzwischen mit den Eltern der Drillinge auf der Terrasse und erzählte von seiner letzten Reise in Indien.

Als die Kinder zwei Stunden lang gespielt hatten, gab es Erfrischungen. Onkel Paul wollte gerade eine neue Rede 10 halten, als ihm vor Schreck der Mund offen blieb. Es war ein komischer Anblick, der rote Mund inmitten des schwarzen Bartes, und einige Kinder kicherten.

Aber sie hörten sofort auf zu kichern, als sie sahen, warum Onkel Paul so entsetzt war. Eine Gipsfigur, die Onkel Paul 15 aus Indien mitgebracht hatte, lag auf der Wiese — mit abge-brochener Nase!

„Wer hat das gemacht?" rief Onkel Paul, als er wieder sprechen konnte.

Die Kinder sahen sich an, aber keines sagte etwas.

20 „Wenn der Schuldige sich freiwillig meldet, werden wir ihn nicht bestrafen," sagte nun Herr Einhorn versöhnlich. Im Grunde war er froh, denn seiner Meinung nach war die Gipsfigur scheußlich.

Aber niemand meldete sich.

25 „Wer etwas angestellt hat, muß es auf sich nehmen," sagte Frau Einhorn. „Sonst kommen Unschuldige in Verdacht — und das wollt ihr doch nicht — nicht wahr?"

Eisige Stille unter den Kindern.

„Also gut," drohte Onkel Paul, „wenn sich der Übeltäter 30 nicht freiwillig meldet, werde ich ihn mittels des Schwarzen Teufels herausfinden. So wie man es in Indien macht."

Seine Worte klangen schreckenerregend, aber die Kinder
blieben stumm.

„Nun . . .?" fragte Onkel Paul. „Ich zähle bis drei. Dann
hole ich den Schwarzen Teufel. Eins . . ."

Die meisten Kinder traten unbehaglich von einem Fuß
auf den anderen.

„Zwei . . ."

Onkel Paul warf forschende Blicke durch seinen goldenen
Kneifer. Aber es war vergeblich.

„Drei!" Er fuhr mit der Hand dreimal über seinen
schwarzen Bart. „Schön, ich hole den Teufel."

Als sich der Onkel ins Haus begeben hatte, begannen die
Kinder eifrig untereinander zu wispern. „Wie kann er das
herausfinden?" flüsterten sie. „Freilich, er war in Indien . . .
Was ist das für ein Schwarzer Teufel? Was wird er machen?
Wird es weh tun?"

Nach fünf Minuten rief er die Kinder in das Haus. Das
Wohnzimmer war in ein unheimliches Halbdunkel getaucht.
Die Vorhänge waren herabgelassen. Nur in einer Ecke
brannte eine Kerze. Auf dem Tisch lagen einige geheimnisvolle Dinge, die man im Finstern nicht deutlich sehen
konnte. In der Mitte stand ein schwarzer Teufel aus Holz.
Seine Augen waren Rubine und funkelten rot.

„Also meldet sich der Schuldige immer noch nicht?"
fragte Onkel Paul. Aber er bekam keine Antwort.

„Ganz wie ihr wollt," sagte Onkel Paul mit schauriger
Stimme. „Ihr werdet nun einer nach dem andern zu dem
Tisch kommen und eure rechte Hand dem Schwarzen Teufel
auf den Kopf legen. Den Unschuldigen wird nichts ge-
schehen, aber der Teufel wird mir kundtun, wer der
Schuldige ist."

„Wie wird er das machen?" fragte der rotbackige Leopold,
der als einziger bisher über Onkel Paul und seinen Schwarzen
Teufel Witze gemacht hatte.

„Das werdet ihr schon sehen," erwiderte Onkel Paul.
5 Dann machte er geheimnisvolle Kreise über dem Holzteufel
und sagte mit dumpfer Stimme: „Abrakadabra!" Dann:
„Hokuspokus!" Und schließlich „O mani padme hum!" [1]
Die Kinder hatten eine Reihe gebildet und zogen an dem
Tisch vorbei. Eines nach dem anderen legte die Hand auf
10 den Kopf des Schwarzen Teufels. Drei, fünf, acht Kinder
hatten die Hand auf den Holzteufel gelegt, gerade über den
roten Augen — und nichts war geschehen. Schließlich
blieben nur zwei Kinder übrig, dann nur eines. Das letzte
Kind ging hin und legte seine Hand auf den Teufel. Nichts
15 geschah. Einige Kinder kicherten.

„Nun haltet alle eure Hände über den Kopf," rief Onkel
Paul, und drehte im nächsten Augenblick die elektrische
Beleuchtung an. Alle Kinder standen mit erhobenen Armen.
Onkel Paul sah sie scharf an, dann ging er auf den dicken
20 Leopold zu und sagte: „Du hast die Figur zerbrochen!"

Leopolds rote Wangen wurden blaß, und er stotterte:
„I-ich bin nur ga-ganz wenig angekokommen, und sie i-i-ist
umgefallen."

„Warum hast du das nicht gleich gesagt?" fragte nun Herr
25 Einhorn.

„Ich wollte es zuerst sagen," erwiderte Leopold, nachdem
er sich etwas erholt hatte. „Aber dann hat Herr Paul mit dem
Schwarzen Teufel gedroht, und ich war neugierig, wie ein
Mann etwas herausfinden kann, was niemand sonst weiß.

---

[1] O mani padme hum! Tibetan words, grotesquely used as a magic
formula.

Es war wirklich ebenso schön wie im Zirkus. Danke schön, Herr Paul."

Alle betrachteten den Schwarzen Teufel ehrfürchtig, aber Onkel Paul erlaubte ihnen nicht mehr, die Holzfigur zu berühren. Die Kinder bedankten sich für den schönen Nach- 5 mittag und besonders für das Kunststück mit dem Schwarzen Teufel. Dann brachte Onkel Paul alle in seinem Wagen nach Hause.

Als er wieder zurückkehrte, nahm ihn Herr Einhorn beiseite, der ein neugieriger Mann war, und fragte: „Nun sage 10 einmal ehrlich, wie hast du das angestellt?"

Onkel Paul putzte seinen Kneifer sorgfältig, und sagte: „Ich habe den Kopf des Schwarzen Teufels mit Ruß eingerieben. Die unschuldigen Kinder legten natürlich ihre Hand hin. Der Schuldige aber fürchtete sich, den Schwarzen Teufel 15 anzurühren — und daher war seine Hand die einzige, die nicht rußig war!"

* 13 *

Warm und kalt

HERR BICHLER saß gutgelaunt in der Eisenbahn auf seinem Fensterplatz. Er hatte das ganze Abteil für sich, konnte die Beine auf den gegenüberliegenden Sitz legen (obwohl das verboten war), brauchte mit niemandem zu sprechen und 5 hatte seinen Frieden.

Da blieb der Zug stehen, und Herr Knoll stieg ein. Er ging erst durch den Zug, und als er das fast leere Abteil des Herrn Bichler sah, beschloß er, dort Platz zu nehmen.

Herr Bichler ärgerte sich.

10 Als Knoll seinen Handkoffer in das Gepäcknetz legen wollte, machte der Zug eine Kurve, der Koffer glitt herab und fiel Herrn Bichler auf die Füße.

„Können Sie nicht achtgeben?" rief dieser erbost. „Ein solcher Koffer kann einen Menschen erschlagen!" Obwohl 15 der Koffer ganz leicht war, rieb sich Bichler die Beine, wie einer, der einen schweren Hieb bekommen hat.

„Ein unangenehmer Kerl," dachte Knoll und setzte sich auf seinen Sitz. Eine Weile sahen sich die beiden Feinde stumm an. Dann nahm Knoll eine Zigarre aus der Tasche 20 und fragte mit geheuchelter Höflichkeit:

„Haben Sie etwas dagegen, wenn ich rauche?"

„Ja," sagte der andere.

„Das macht fast gar nichts," lächelte Knoll und zündete sich langsam seine Zigarre an.

„Ich sagte, daß mich Rauchen stört," knurrte Bichler.

„Dann müssen Sie in ein Nichtraucher-Abteil gehen,"
meinte Knoll. „Hier darf jeder Mensch rauchen."

„Warum haben Sie mich dann gefragt?"

„Weil ich ein höflicher Mann bin," erwiderte Knoll. 5
„Manche Menschen sind sehr unhöflich," setzte er hinzu.

Bichler merkte, daß sich der andere über ihn lustig machte,
aber er konnte nichts dagegen tun. „In einer solchen rauchi-
gen Atmosphäre kann man Nikotinvergiftung bekommen,"
murmelte er bloß, „und daran kann ein Mensch zugrunde 10
gehen." Er zog eine Zeitung aus der Tasche und verkroch
sich hinter sie. Nur sein Kopf und seine Hände waren sichtbar. „Wie eine Schildkröte," dachte Knoll. „Nur bissiger."

Sie fuhren durch eine ebene Gegend. Der Himmel war
leicht bewölkt, es war nicht zu warm, nicht zu kalt. Das 15
Fenster stand offen, und ein sanfter Wind blies in das Abteil.

„Dieser Zug ist schrecklich," brummte Bichler plötzlich,
warf die Zeitung auf den Boden und schloß das Fenster.

„Ich finde, dieser Zug [1] ist ausgezeichnet," antwortete 20
Knoll, indem er sich unschuldig stellte. „Er fährt ruhig und
angenehm, und außerdem schnell . . ."

„Ich möchte diesem Brummbären gern eine Lehre geben,"
dachte Knoll nach einer Weile. „Warum haben Sie das Fenster geschlossen?" sagte er laut. „Es ist jetzt zu heiß hier. 25
Machen Sie es wieder auf!"

„Ich denke nicht daran," rief der andere. „Mich stört der
Luftzug. Ich bin nämlich erkältet. Durch einen solchen Zug
kann sich ein Mensch eine Krankheit holen und daran
sterben." 30

„Ihr Leben scheint in ständiger Gefahr zu schweben,"

---

[1] **dieser Zug.** Note the play on words! See vocabulary.

erwiderte Knoll ironisch. „Die Hitze ist zu groß, und ich
wünsche, daß Sie das Fenster öffnen."

„Ich werde es nicht öffnen!" schrie der Mann, der so um
sein Leben besorgt war. „Ich sitze hier in der Ecke, das
5 Fenster gehört zu meinem Platz, und ich habe zu bestimmen,
ob es offen oder geschlossen zu sein hat!"

Herr Knoll ärgerte sich nun auch. Er brauchte sich eine
solche Behandlung von dem unverschämten Kerl nicht gefallen zu lassen. Er sprang auf — und da fiel sein Blick auf
10 die Heizung, die gerade über seinem Sitz angebracht war.
Der Hebel war auf WARM gestellt.

„Aha!" rief er. „Das ist der Grund, weshalb es hier so heiß
ist!" Ohne seinen Reisegenossen zu fragen, stellte er den
Hebel mit einem Ruck auf KALT.

15 Bichler wurde weiß vor Zorn: „Wie können Sie es wagen,
die Heizung abzustellen? Hier ist es nicht heiß. Sie können
die Heizung nicht ohne mein Einverständnis abstellen. Sie ist
für alle Reisenden da."

„Die Heizung ist über meinem Sitz," schrie nun auch
20 Knoll, „geradeso wie das Fenster neben Ihrem ist. Hier habe
ich zu bestimmen, ob sie offen oder geschlossen sein soll!"

Der Feind sah ihn giftig an, machte aber den Mund nicht
mehr auf, sondern schaute wieder in die Zeitung.

Aber die Sache ließ ihm keine Ruhe. Man konnte sehen,
25 wie ihn der Sieg des Gegners ärgerte. Er begann zu zittern,
um zu zeigen, daß er fror. Als Knoll dies nicht zu bemerken
schien, stand er auf und zog sich umständlich seinen Mantel
an. Knoll dagegen zog sich seinen Rock aus und saß in
Hemdärmeln da.

30 Da riß Bichler [1] die Geduld. Er sprang auf, stürzte sich auf

---

[1] (dem) **Bichler**, possessive dative.

„Wie können Sie es wagen, die Heizung abzustellen!"

die Heizung und drehte den Hebel zurück auf Warm. „Ich
erfriere," fügte er hinzu.

„Ich verbrenne . . . " brüllte Knoll und riß den Hebel
wieder in die frühere Stellung.

5 „Lebensgefährlich — diese Kälte!"

„Unerträglich — diese Hitze!"

Sie rissen den Hebel hin und her und konnten sich nicht
einigen. Wenige Sekunden später balgten sie sich auf den
Sitzen herum. Da machte der Zug eine scharfe Kurve, und
10 beide Helden landeten auf dem ¹ Fußboden.

Sie erhoben sich, klopften den Schmutz von ihren Anzügen, und sahen einander feindselig und unversöhnt an.

„Ich werde den Schaffner holen," keuchte der eine und
richtete sich seine verrutschte Kravatte. „Der wird Ordnung
15 schaffen."

„Oho, *ich* werde den Schaffner holen," zischte der andere.

Da sie sich auch in diesem Punkt nicht einigen konnten,
gingen sie schließlich beide, um den Schaffner zu holen. An
der Tür des Abteils gab es noch einige Schwierigkeiten, weil
20 keiner den anderen vorgehen lassen wollte; aber zum Glück
erwies sich die Tür als breit genug, um beide zugleich durch-
zulassen.

Sie liefen durch den halben Zug, bis sie den Schaffner
fanden. Dieser sah sich plötzlich zwei aufgeregten Menschen
25 gegenüber, beide zerrauft, mit zerkratzten Gesichtern und
unordentlichen, teilweise beschmutzten Kleidern, den einen
im Mantel, den anderen in Hemdärmeln.

„Ist ein Unglück geschehen?" rief der Schaffner und
wollte die Notleine ziehen.

30 Sie hielten ihn noch rechtzeitig zurück. Dann erzählten

---

¹ **landeten auf dem Fußboden** (in answer to *Wo?*). Contrast with *fielen
auf den Fußboden* (in answer to *Wohin?*).

sie durcheinander ihren Streit, einer den anderen unter-
brechend, ohne den erstaunten Schaffner auch nur eine
Sekunde lang zu Wort kommen zu lassen.

„Man erfriert vor Kälte, wenn der Hebel auf KALT steht,"
wimmerte der eine.

„Man vergeht vor Hitze, wenn der Hebel auf WARM
steht," winselte der andere.

„Meine Herren," gelang es dem Schaffner doch endlich
einzuwerfen. „Wovon reden Sie eigentlich? Die Heizungen
in den Abteilen funktionieren doch gar nicht . . .!"

14

Wie du mir . . .

ERICH WAR Postbeamter. Er saß hinter einem Schalter und verkaufte Briefmarken. Er war froh, als die Uhr fünf schlug, da er heute zum Abendessen bei Freunden eingeladen war.

Er machte den Schalter zu und warf einen Blick in den
5 Spiegel. „Zu dumm," murmelte er. „Ich muß mich rasieren lassen. Ich sehe ja aus wie ein Igel." Er sah auf die Uhr. Es war nicht viel Zeit. Er sollte um halb sechs bei seinen Freunden sein. Sie waren immer sehr pünktlich mit dem Abendessen.

10 Erich trat auf die Straße hinaus und sah sich nach einem Friseurladen um. Er konnte keinen sehen und lief von einer Straße zur anderen. Alle Friseurläden schienen sich verkrochen zu haben, wie Regenwürmer in der Trockenzeit.

Schließlich sah er einen Laden in einer Seitengasse. Als er
15 aber in das Lokal stürmte, trat ihm der Inhaber mit kühler Miene entgegen: „Ich bedaure, mein Herr, dies ist ein Damenfrisiersalon." Mit leisem Vorwurf fügte er hinzu: „Wir haben ein deutliches Schild an der Tür."

Ein halbes Dutzend Damen, die mit ihrem Frisierhelm
20 an der Decke aufgehängt schienen, schossen feindselige Blicke auf Erich.

„Entschuldigen Sie . . ." stammelte dieser. „Ich habe in der Eile bloß das Wort Friseur auf dem Schild beachtet — kennen Sie vielleicht einen Herrenfriseur in der Nähe?"
25 „Gewiß — zweite Gasse links. Salon Turner."

Herr Turner bediente seine Gäste persönlich.

„Bitte rasieren," sagte Erich. „Aber rasch!" Es war bereits
fünfzehn Minuten nach fünf.

Herr Turner betrachtete kritisch seinen Gast, als dieser
Platz nahm. „Haarschneiden wünschen Sie nicht?"   5

„Nein. Haarschneiden nicht."

Turner begann Erich einzuseifen.

„Jeder Herr sollte auf Haarpflege sehr bedacht sein," sagte
Turner.

„Das bin ich gewiß," erwiderte Erich.   10

„Ihr Haar ist zu trocken. Ich empfehle tägliche Behandlung mit meinem ausgezeichneten Haaröl." Er langte nach
einer Flasche mit einer grünen Flüssigkeit.

Erich sah kaum hin. „Wollen Sie mich bitte *rasieren!*"
sagte er mit Nachdruck.   15

„O gewiß, selbstverständlich. Ganz wie Sie wünschen.
Doch . . ." er hielt plötzlich inne. „Ich muß Sie darauf aufmerksam machen, daß Ihr Haarwuchs nachläßt. Hier oben
sind mehrere sehr dünne Stellen."

„Ich habe das auch schon bemerkt," sagte Erich verdrieß- 20
lich.

„Nicht wahr?" Das Gesicht des Friseurs leuchtete. Ver-
traulich setzte er fort: „Fürchten Sie nichts. Ich habe ein
Spezialmittel, das Haarausfall beseitigt. Sehen Sie, diese Pasta.
In ein paar Tagen können Sie einen richtigen Haarwald ha- 25
ben — einen Haarurwald!" Er stellte das Rasieren ein und
hielt die Pasta vor Erichs Nase.

„Ein andresmal," sagte dieser. „Bitte rasieren Sie mich
jetzt."

Der Friseur begann zu rasieren. Aber nicht lange. „Ich 30
möchte bemerken," sagte er, „daß Ihr Haar dringend eine
Waschung nötig hat. Soll ich vielleicht . . . ?"

„Nein!" schrie Erich. „Sie sollen gar nichts! Ich will auch nicht die Nägel geschnitten, den Schnurrbart gestutzt, das Haar gefärbt und die Augenbrauen nachgezogen haben! Wenn ich hierherkomme, um rasiert zu werden, wünsche ich
5 nur eines: Rasiert werden!"

Er verließ voll Zorn den Laden.

Einige Tage später erschien Turner im Postamt, um eine Marke zu kaufen. Erich erkannte ihn sofort. „Na warte," dachte Erich, „dir werde ich einmal eine Lehre geben!"

10 „Sie wünschen eine Briefmarke?" sagte Erich. „Für Inland oder Ausland?"

„Für Inland."

„Einfacher Brief? Oder doppeltes Gewicht?"

„Einfaches Gewicht."

15 „Sind Sie sicher?" fragte Erich. „Soll ich den Brief nicht lieber abwiegen? Ich habe eine sehr gute Waage."

„Nein, nein, ist nicht nötig."

„Ganz wie Sie wünschen." Erich blickte auf den Brief.
„Ich möchte empfehlen, ihn einschreiben zu lassen. Es ist
20 vielleicht ein wichtiger Brief. Einschreiben gewährt größte Sicherheit. . . ."

„Mir ist gewöhnliche Post sicher genug," sagte Turner ärgerlich.

„Sie brachten den Brief selbst zur Post. Gewiß ist er sehr
25 eilig. Wollen Sie nicht lieber telegrafieren? Das ist rascher und kostet bloß. . . ."

„Herr!" rief Turner. „Geben Sie mir sofort meine Marke. Ich habe besseres zu tun, als hier mit Ihnen zu schwatzen!"

„Bitte sehr! Ich kann Ihnen die Marke geben. Aber morgen
30 werden Sie einen zweiten Brief schreiben und sich sagen:

‚Zu dumm, warum habe ich nicht mehrere Marken gekauft; nun muß ich wieder auf die Post laufen.' "

„Soll ich vielleicht gleich drei Dutzend auf einmal nehmen?"

„Drei Dutzend auf einmal!" Der Postbeamte strahlte. 5
„Mit Vergnügen, hier sind sie — warum haben Sie das nicht sofort gesagt? Ich gebe Ihnen also drei Dutzend Inlandsbriefmarken, und außerdem auch drei Dutzend Auslandsbriefmarken, damit Sie auch ins Ausland . . ."

„Nein! Lieber Himmel, nein! Ich schreibe nie ins Ausland. 10 Geben Sie mir doch zum Kuckuck endlich die Marke, damit ich wegkomme. Ich habe zu tun, ich bin Geschäftsmann und kann meine Zeit nicht im Postamt vertrödeln!"

Der Beamte schien nur den ersten Teil der Rede gehört zu haben. „Sie schreiben nie ins Ausland? Dann brauchen 15 Sie allerdings keine Auslandsmarken. Ich empfehle Ihnen ein Markenheftchen für Inlandsmarken."

„Also gut," stöhnte der Friseur. „Damit ich Ruhe vor Ihnen habe — geben Sie mir das Markenheftchen."

„Hier ist es," sagte der andere freundlich. „Fünf Mark." 20
„Wie, fünf Mark? Glauben Sie, ich bin ein Millionär? Mir genügt ein kleines Heftchen um zwei Mark."

„Was haben Sie davon?" sagte Erich unerbittlich. „Dann müssen Sie in ein paar Tagen wiederkommen und wieder Zeit verlieren. Ich will Ihnen Zeit ersparen." 25

„Ich will augenblicklich bloß Geld sparen, nicht Zeit. Geben Sie mir, bitte, bitte, das kleine Markenheftchen, und außerdem noch die einzelne Marke, wegen der ich ursprünglich gekommen bin, damit ich nicht gleich das Heftchen anbrechen muß." 30

„Sagten Sie etwas von Geld? Ich möchte Sie daran erin-

nern, daß wir hier auch Geldanweisungen übernehmen, falls
Sie Geld versenden wollen . . ."

Turner beugte sich tief zum Schalter hinab, so daß nur
Erich ihn hören konnte, und nicht die Menschenschlange,
die hinter ihm wartete. „Lieber Herr," flüsterte er, „ich verspreche feierlich: Wenn Sie das nächste Mal zum Rasieren
kommen — *rasiere* ich Sie!"

„Hier ist Ihre Marke, verehrter Herr," sagte Erich plötzlich lächelnd. „Zwei Pfennig. Vielen Dank. Der nächste
Herr, bitte!"

✳ 15 ✳

Onkel Alois kauft ein Klavier

ALLE NANNTEN ihn Onkel Alois, obwohl er gar keine richtigen Neffen und Nichten hatte. Aber seine Wohnung war immer voll von Kindern aller Altersstufen. Onkel Alois hatte in seinen Anzügen große Taschen, aus denen er immer Geschenke und Überraschungen für die Kinder hervorholte: 5 Blechsoldaten, Puppen, Schokolade, Bindfaden, Münzen — und vieles, vieles andere. Man wußte gar nicht, was er alles in seinen Taschen hatte, aber das war eben die Überraschung daran. Onkel Alois konnte auch zaubern, er ließ eine Münze unter seinem Hut verschwinden und brachte sie aus seiner 10 Nase wieder zum Vorschein. Und er war bei jedem Spaß dabei und sagte niemals: „Das darfst du nicht tun, weil es meinen Fußboden beschädigt," oder etwas ähnliches.

Nur einen einzigen Gegenstand in seiner Wohnung durfte man nicht berühren, und das war sein Klavier. Das heißt, 15 man durfte wohl das Klavier als Pferd oder als Schiff benützen und darauf herumturnen. Aber man durfte nicht spielen — oder wenigstens nicht zu viel. Denn Onkel Alois liebte Musik noch mehr als die Kinder und spielte wunderschöne Melodien. Wenn aber die Kinder spielten, hielt er 20 sich die Ohren zu und floh aus seiner eigenen Wohnung. „Lernt Klavierspielen," sagte er oft, „denn das ist das schönste Vergnügen. Aber lernt bitte nicht auf *meinem* Klavier!"

Das war aber genau das, was der kleine Berthold tat. Wenn alle Kinder in Onkel Alois' Wohnung umhertollten, saß er am Klavier und spielte. Er war der Sohn des Rechtsanwalts Siebenschein, der im fünften [1] Stockwerk des Nachbarhauses
5 wohnte. Rechtsanwalt Siebenschein war ein vermögender Mann, der Geld genug zum Ankauf eines Klaviers hatte, aber er war ein geiziger Mann und scheute die große Ausgabe. Da Berthold aber lieber Klavier spielte als alles andere in der Welt, ging er zu Onkel Alois und verbrachte dort viele
10 Stunden täglich vor dem Klavier.

Onkel Alois wußte nicht, was er machen sollte. Berthold hatte niemals Klavierspielen gelernt, aber er hatte zweifellos große Begabung dazu. Er konnte keine Noten lesen, sondern spielte auswendig. Doch was ihm an Erfahrung fehlte,
15 ersetzte er durch Lautstärke. Onkel Alois war verzweifelt. Aber da er sah, wie gerne der Knabe spielte, wollte er ihm das Vergnügen nicht rauben.

Eines Tages ging Onkel Alois zu Rechtsanwalt Sieben-schein. „Berthold ist begabt," sagte er, „er ist glücklich, wenn
20 er Klavier spielen kann. Warum kaufen Sie ihm nicht ein Klavier?"

Da begann Rechtsanwelt Siebenschein über die schlechten Zeiten zu jammern. Onkel Alois wußte aber, daß Sieben-schein mehr Geld hatte, als alle anderen im Hause zusammen.
25 „Also gut," sagte Onkel Alois schließlich, „dann werde *ich* Ihrem Sohn ein Klavier kaufen!"

Rechtsanwalt Siebenschein wußte, daß Onkel Alois nicht sehr viel Geld hatte; und ein Klavier ist sehr teuer; er hielt daher die Worte Onkel Alois' für einen Scherz und vergaß
30 sie bald.

Am nächsten Geburtstag Bertholds aber klingelte es, und

---

[1] **im fünften Stockwerk:** "in the sixth story."

Die Manner mit den Traggurten wischten sich die Stirne

vier riesige, starke Männer standen draußen, mit schwieligen
Händen und mit Gurten um ihren Leib.

„Ist das die Wohnung von Rechtsanwalt Siebenschein?"
fragte der eine. „Wir haben ein Klavier unten, ein Geschenk
5 von Herrn Alois an Berthold Siebenschein."

Herr Siebenschein wurde rot im Gesicht, Frau Siebenschein
wurde blaß, und beide sprangen aufgeregt von einem Fuß
auf den anderen.

„Ein Klavier," rief Frau Siebenschien, „das ist doch sehr
10 groß. Wo werden wir's denn aufstellen?"

„Ist es ein Flügel oder ein Pianino?" fragte Herr Siebenschein.

„Ein Flügel," antwortete einer der Männer. „Also machen
Sie Platz, denn wir bringen es jetzt gleich herauf. Fünf Stock-
15 werke sind aber sehr hoch, und in diesem Haus gibt es keinen
Aufzug."

„Einen Augenblick," sagte Rechtsanwalt Siebenschein.
Mit einiger Überwindung nahm er seine Brieftasche heraus
und gab den vier Männern eine Banknote. Die Männer be-
20 dankten sich und gingen hinunter, um das Klavier zu holen.

Mittlerweile verbrachten auch Herr und Frau Siebenschein
eine anstrengende Viertelstunde. Sie mußten Platz für das
große Klavier machen. Frau Siebenschein wollte es ins
Wohnzimmer vor das Fenster stellen, Herr Siebenschein
25 ins Speisezimmer neben die Tür. Sie begannen beinahe zu
streiten, aber schließlich einigten sie sich, das Klavier in
Bertholds Zimmer zu stellen. Sie mußten den Tisch auf die
rechte Seite schieben, den Kasten auf die linke, das Bett von
einem Zimmer ins andere. Beide wischten sich den Schweiß
30 von der Stirne. Im Treppenhaus hörte man die rauhen Stimmen der Männer, die das Klavier die schmale Treppe herauf-
brachten.

Endlich gelang es Herrn und Frau Siebenschein, genügend Platz für einen großen Flügel zu schaffen und auch den Weg von der Eingangstür bis in Bertholds Zimmer frei zu machen. Da Berthold nicht zu Hause war, mußten seine Eltern alles selbst vorbereiten.

Die Männer befanden sich bereits vor der Eingangstür, und Frau Siebenschein eilte ins Vorzimmer, um ihnen behilflich zu sein. Plötzlich aber blieb sie erstarrt stehen, während ihr Mann mit offenem Munde auf die Männer sah. Diese keuchten und stöhnten und wischten sich die Stirne, auf ihren Traggurten hing aber statt des erwarteten riesigen Flügels ein kleines Spielzeugklavier! Die vier Männer trugen es mit allen Anzeichen heftiger Anstrengung auf seinen vorbestimmten Platz in Bertholds Zimmer und stellten es inmitten des großen leergemachten Raumes auf. Dann grüßten sie höflich und verließen die Wohnung, ehe sich das Ehepaar Siebenschein vor der Überraschung erholen konnte.

Onkel Alois zahlte den vier Männern einen kleinen Betrag und dankte ihnen herzlich für die Mitwirkung an seinem Scherz. Und er freute sich doppelt, als er hörte, daß Herr Siebenschein die Lehre auch richtig verstand: denn eine Woche später stand ein wirkliches Klavier in Bertholds Zimmer — ein nachträgliches Geburtstagsgeschenk seines Vaters!

✳ 16 ✳

Der Löwe Nero

IN DER kleinen Stadt Holzhausen gab es viele Unterhaltungen für die Schulkinder. Ein Karussell, ein Schwimmbad mit einer Rutschbahn, die ins Wasser führte, einen Tiergarten und ein Aquarium. Aber am schönsten und spannendsten
5 war doch der Zirkus „Wunderschau." Da gab es Elefanten, die auf zwei Beinen tanzen konnten; Tiger, die durch einen brennenden Ring sprangen; Seehunde, die Flaschen auf der Schnauze balancierten; ferner Reiter, die tolle Kunststücke machten; und Clowns, die so lustig waren, daß man noch drei
10 Stunden nach der Vorstellung Bauchweh vom vielen Lachen hatte.

Am aufregendsten aber war der Löwe Nero. Er war so wild, daß keines der Schulkinder sich in seine Nähe wagte, und die Eltern immer Sitzplätze in den hinteren Reihen
15 nahmen.

„GEFÄHRLICHSTER LÖWE VON EUROPA UND UMGEBUNG!" schrieb Zirkusdirektor Klappermann auf das Plakat, das außerhalb des Zirkuszeltes hing.

Der Löwe Nero machte aber trotz seiner Wildheit alle
20 Kunststücke wie andere Zirkuslöwen. Er setzte sich auf große Holzwürfel, wenn der Löwenbändiger, der stolze Herr Hildebrand, einmal mit der Peitsche knallte; und er sprang wieder herunter, wenn Herr Hildebrand zweimal knallte. Auch konnte er sich senkrecht aufstellen, wenn die Trompete

geblasen wurde. Das war sein Hauptkunststück. Wenn Nero das machte, wurde der Saal verdunkelt und nur ein Scheinwerfer auf den Löwen gerichtet, damit alle ihn bewundern konnten.

Herr Hildebrand hatte eine prächtige Uniform aus rotem Samt mit goldenen Tressen und weißen Spitzen, und jedesmal, wenn er die Arena betrat, spielte die Musik einen stolzen Marsch, so daß jeder wußte, daß jetzt eine wichtige Person auftrat.

Außer dem Zirkus „Wunderschau" gab es noch einen anderen Zirkus in Holzhausen. Er hieß „Afrika," war aber nicht so gut besucht wie der Zirkus „Wunderschau," obwohl er ebenso schöne Tiere hatte, die ebenso spannende Kunststücke machen konnten. Die Clowns im Zirkus „Afrika" waren sogar noch lustiger, als die in der „Wunderschau." Außerdem gab es dort noch Chinesen, Indianer und Zwergneger, weiter Bauchredner, Seiltänzer, Feuerfresser und Schwertschlucker.

Dennoch gingen fast alle Leute aus Holzhausen in den Zirkus „Wunderschau," denn Direktor Klappermann machte überall Reklame und schickte vor jeder Vorstellung Herolde mit Trompeten und großen Plakaten in der Stadt herum. Der Direktor des Zirkus „Afrika" — er hieß Zitterbart — war ein bescheidener Mann und wollte sich nicht so wichtig machen. Leider verdiente er wenig durch den schwachen Besuch, und das machte ihm große Sorgen. Er schuldete allen Leuten Geld, und konnte auch seinem Sohn nicht das Kinderautomobil kaufen, das dieser sich sehr wünschte.

Eines Tages geschah etwas Schreckliches im Zirkus „Wunderschau." Zuerst ging alles gut: die Tiger sprangen durch den Reifen, die Seehunde spielten mit den Flaschen

und die Clowns machten lustige Sprünge. Dann wurden die Lichter gedämpft, und in der grellen Beleuchtung eines Scheinwerfers erschien der eingebildete Herr Hildebrand in seiner protzigen roten Uniform und sagte: „Jetzt kommt
5 Nero, der gefährlichste Löwe der Welt und Umgebung. Er gehorcht jedem Befehl, wenn ich ihn gebe!"

Alle waren mäuschenstill, als der furchtbare Löwe eintrat. Herr Hildebrand stellte einen Fuß auf einen Holzwürfel und steckte eine Hand zwischen zwei Knöpfe seiner Uniform,
10 damit jeder sehen sollte, daß Herr Hildebrand ein großer Held war.

„Nero . . .!" rief er dann. „Geh dreimal im Kreise!"

Nero aber war heute schlechter Laune. Er setzte sich in eine Ecke, knurrte, und rührte sich nicht. Da nahm Herr Hilde-
15 brand seine Peitsche, knallte und sagte: „Nero, setz dich auf den Holzwürfel!"

Nero kümmerte sich nicht um den Befehl und kratzte sich die Ohren. Da ärgerte sich der eitle Herr Hildebrand sehr und schlug Nero mit der Peitsche ins Gesicht. Im nächsten
20 Augenblick stieß Nero ein fürchterliches Gebrüll aus, schüttelte seine Mähne und sprang mit einem einzigen Satz auf Herrn Hildebrand. Dieser wollte fliehen, aber es war zu spät — Nero hatte bereits den Arm mit der Peitsche zwischen seinen riesigen Zähnen.

25 Herr Hildebrand heulte schrecklich, und alle Kinder schrieen so laut, daß man es bis zum anderen Zirkus hören konnte. Herr Zitterbart lief schnell herbei und sah Herrn Hildebrand aus der Arena hinken, mit zerrissenem Rock und blutigem Arm.

30 Als Herr Klappermann, der Direktor des Zirkus „Wunderschau," Herrn Hildebrand sah, rief er: „Nero muß sofort verkauft werden! Wir können mit einem so gefährlichen

Tier keine Vorstellung mehr geben. Diesmal ist es noch gut
ausgegangen — das nächste Mal frißt er Sie vielleicht ganz
auf, Herr Hildebrand."

„Jaja," winselte Herr Hildebrand. „Ich bitte um einen
zahmeren Löwen."   5

„Ich werde sofort nach Afrika schreiben," sagte Herr
Klappermann. „Ich brauche ohnehin ein Zebra und eine
Giraffe."

Das sagte er aber nur, um vor den Leuten, die zuhörten, zu
protzen. In Wirklichkeit besaß er keinen Stall, der groß genug 10
für eine Giraffe war.

„Was sollen wir aber nun mit dem elenden Nero tun?"
fragte er. „Wer wird ein so bösartiges Tier kaufen?"

„Ich!" sagte plötzlich eine Stimme im Hintergrund. Es
war Herr Zitterbart. „Ich möchte gerne Herrn Nero kaufen." 15
Er sagte „Herr" Nero, denn Direktor Zitterbart war ein
höflicher Mann.

„Bitte sehr," erwiderte Direktor Klappermann bereitwil-
lig. „Sie können ihn haben. Sie dürfen sich aber nachher
nicht beklagen, wenn er Ihren Bändiger beißt oder auffrißt." 20
Sie einigten sich bald, denn Klappermann war froh, den
Löwen Nero loszuwerden; er verkaufte ihn um einen billigen
Preis.

Am nächsten Tag geschah etwas sehr Sonderbares. Herr
Zitterbart malte ein großes Plakat und schrieb darauf mit 25
roten Buchstaben:

ACHTUNG! ACHTUNG! KOMMT HERBEI UND SEHT NERO,
DEN SCHRECKLICHEN, MENSCHENFRESSENDEN LÖWEN! HIER IM
ZIRKUS „AFRIKA" ZU SEHEN! SONST NIRGENDS!! JEDER ZU-
SCHAUER BEKOMMT EINE BEISSFESTE WESTE AN DER KASSE!! 30
DER LÖWENBÄNDIGER DES ZIRKUS „AFRIKA" WIRD NUR IN DER

SCHWIMMHOSE ERSCHEINEN UND FURCHTLOS DEM LÖWEN
NERO GEGENÜBERTRETEN!!! KOMMT ALLE HERBEI!!!
(DICKE ZUSCHAUER MÜSSEN IHRE WESTE MITBRINGEN.)
KINDER ZAHLEN DIE HÄLFTE.

5   ZIRKUSDIREKTOR
                    FRANZ FRIEDRICH ZITTERBART.

Unter den Kindern und Zirkusbesuchern von Holzhausen
herrschte große Aufregung, als sie das lasen. Innerhalb einer
Stunde waren alle Plätze für die nächste Vorstellung ausver-
10 kauft. Noch nie hatte Direktor Zitterbart so viele Karten
verkauft.

Die Zuschauer waren begeistert von dem Mut des Löwen-
bändigers, der wirklich nur in einer Schwimmhose erschien,
kühn mit der Peitsche knallte und den Löwen seine Kunst-
15 stücke machen ließ. Am Schluß legte der Bändiger seinen
Kopf in den Rachen des Löwen. Tagelang sprachen die Leute
von nichts anderem, und alle Vorstellungen waren ausverkauft. Auch das übrige Programm gefiel den Zirkusbesuchern, und Direktor Zitterbart verdiente eine Menge Geld.
20 Er konnte alle Schulden bezahlen und seinem Sohn das
Kinderautomobil kaufen. Er freute sich sehr, daß die Leute
nun immer in seinen Zirkus kamen. Und er verriet niemandem, daß Nero in einem Käfig versteckt war. Der Löwe, der
im Zirkus „Afrika" auftrat, war ein ganz altes, ungefähr-
25 liches und zahmes Tier, das nur Salat fraß und (am Sonntag)
Reis in der Milch.

17

Der Komet

EIN KOMET ist ein Stern, der im Dunkel der Nacht plötzlich
mit hellem Leuchten erscheint, viel Aufsehen macht und
dann ebenso plötzlich und unerwartet wieder verschwindet.

Als Josua in die Welt hinausziehen sollte, machte es ihm
große Sorgen, daß er die fremde Sprache nicht kannte. Er 5
war zwar von Natur aus ziemlich still und redete nur, wenn
er wirklich etwas zu sagen hatte, — aber dieses wenige muß
man eben doch sagen können, nicht wahr?

Der alte Müller, der viel Erfahrung hatte und in der Welt
herumgekommen war, klopfte ihm aufmunternd auf die 10
Schulter und meinte:

„Schau, Josua, es ist alles nicht halb so schwer, wie es
aussieht. Ich werde dir die wichtigsten Worte vorsagen, die
werden für den Anfang genügen. Wenn du irgendwo ein-
trittst, mußt du sagen: „Guten Tag!' Sprich das einmal 15
nach!"

„Guten Tag," wiederholte Josua.

„Sehr brav," lobte der alte Müller, „du hast zweifellos
Talent. Dann das nächste. Wenn du etwas kaufen willst,
mußt du mit dem Finger darauf zeigen und fragen: ,Wieviel 20
bekommst du dafür?' Nun . . . ?"

Josua wiederholte den Satz, wie ein gut erzogener Papagei.

„Gut. Dann wird man dir die Zahl aufschreiben. Die Zif-

fern sehen in allen Sprachen gleich aus. Du zahlst also und
gehst. Vorher mußt du noch sagen ‚Danke schön'."

„Danke schön" sprach Josua folgsam.

„Richtig. Nun — und sonst? Wenn jemand etwas da-
5 herredet, was du nicht verstehst, sagst du einfach: ‚Das versteh' ich nicht!' Und wenn jemand erwartet, daß du etwas
sprechen sollst, sagst du: ‚Mehr kann ich nicht sagen!' Das
ist ziemlich alles, was du für den Anfang nötig hast. Wenn
eine schöne Dame dir zulächelt, brauchst du gar nichts zu
10 reden. Und überhaupt ist es im Leben am besten, man hält
den Mund. Also, Kopf hoch, mein Junge, und Gott befohlen!"

So zog Josua in die Welt hinaus und wiederholte die fünf
Sätze, die ihn der alte Müller gelehrt hatte, unzählige Male,
15 bis er sie tadellos aussprechen konnte. Er kam ins fremde
Land und freute sich jedesmal, wenn er sie anwenden konnte.

Eines Abends gelangte er ziemlich spät in ein Dorf. Das
Wirtshaus war ganz voll von aufgeregten und heftig debat-
tierenden Männern. Als Josua eintrat, blickten ihn alle
20 verwundert an, denn es war nicht üblich, daß um diese
Stunde noch ein Fremder kam — besonders wenn gerade
eine Gemeindeversammlung stattfand.

„Guten Tag," sagte Josua ruhig in die eingetretene Stille
und setzte sich bescheiden an einen Tisch in der Ecke. Die
25 anderen Männer wandten sich wieder ihrer Debatte zu und
hatten ihn bald vergessen. Plötzlich erhob sich ein dicker
Mensch mit einem selbstzufriedenen Gesicht, der Bürgermeister des Dorfes, und hielt eine Rede.

Es handelte sich um die Frage, ob man die Autobuslinie
30 durch den Ort führen sollte, zu welchem Zwecke eine Ver-
breiterung der Straße notwendig war. Die Kosten sollten aus
der Gemeindekasse bezahlt werden. Die Meinungen waren

nicht einheitlich, alle schrieen durcheinander, und Josua ärgerte sich, weil er nicht verstand, worum es sich handelte. Er langweilte sich und wollte gerne mitdebattieren.

Der Bürgermeister sagte gerade: „Ich beantrage, die Straße durch die Firma Keller bauen zu lassen. Sie arbeitet 5 gut und nicht zu teuer." Aber er sagte nicht, daß die Firma Keller ihm eine große Belohnung versprochen hatte, wenn er ihr diese Arbeit verschaffen könnte. Denn der Bürgermeister war ein bestechlicher Mann, was aber die meisten nicht wußten. 10

Jeder rief nun etwas. Josua hielt es nicht länger aus, er wollte auch etwas rufen. Er wählte aus seinen Kenntnissen den zweiten Satz und schrie: „Wieviel bekommst du dafür?"

Die allgemeine Aufmerksamkeit wandte sich ihm zu. Es 15 entstand eine derartige Aufregung, daß Josua sofort bedauerte, den Mund aufgetan zu haben. Man bestürmte ihn mit Fragen, doch hüllte er sich in Schweigen, was die anderen für Überlegenheit ansahen. Des Bürgermeisters rotes Gesicht war bleich geworden. Er trat ganz nahe an den 20 geheimnisvollen Fremden heran und sagte drohend: „Ich habe reine Hände und kann es beweisen."

Josua fühlte, daß er auf diese ihm unverständliche, aber zweifellos feindselige Äußerung etwas erwidern mußte und sagte fest und kurz: „Danke schön!" 25

Diese Worte machten großen Eindruck. Es fand sich sofort eine Gruppe von Leuten, die schon lange geahnt hatten, daß der Bürgermeister ein falsches Spiel treibe. Der Fremde, dachten sie, ist sicher aus der Stadt und weiß mehr als wir.

Nur eine kleine Anzahl blieb noch bei der Partei des Bür- 30 germeisters. Ihr Anführer war der Lehrer des Ortes. Dieser rief: „Wir stehen zu unserem Bürgermeister!"

Josua, dem die Sache ungemütlich vorkam, wollte den Rückzug antreten. Er nahm die Pfeife aus dem Mund und meinte ehrlich: „Das versteh' ich nicht!"

Da lachte die große Menge den Lehrer und seine Gruppe 5 aus, die so leichtgläubig war, dem Bürgermeister noch immer zu vertrauen. Alle bestürmten Josua, ihnen alles zu sagen, was er noch wußte. Besonders der junge Reporter der Dorfzeitung wollte unbedingt ein Interview.

Doch Josua, der sich danach sehnte, aus dieser unver-10 ständlichen Geschichte herauszukommen, sagte bloß sein fünftes Sprüchlein: „Mehr kann ich nicht sagen" und verließ rasch das Wirtshaus.

Am nächsten Tag berichtete die Zeitung des Dorfes über die Gemeindeversammlung vom Tage vorher. „In letzter 15 Sekunde ist es gelungen," schrieb die Zeitung, „die Bestechlichkeit des Bürgermeisters zu entdecken. Dies ist dem tapferen Auftreten eines Kommissars aus der Stadt zu verdanken, der mit kurzen, aber scharfen Worten ans Tageslicht brachte, daß der Bürgermeister seinen Ehrenposten für die eigene 20 Tasche ausnützte. Der Fremde hat durch seine unerschrockene und doch diskrete Art den Dank und die Wertschätzung unserer gesamten Bevölkerung erworben."

Der Bürgermeister warf die Zeitung wütend zu Boden. „Ich muß mein Amt niederlegen," fluchte er, „es bleibt mir 25 keine andere Wahl. Aber woher hatte dieser Kerl seine Kenntnis? Sicherlich nur von Gerhard, denn sonst habe ich es niemandem gesagt. Und an diesen Halunken wollte ich meine einzige Tochter verheiraten!"

„Lisbeth!" rief er grimmig, und als ein hübsches Mädchen

Der Bürgermeister warf die Zeitung wütend zu Boden

eintrat, erklärte er feierlich: „Aus deiner Hochzeit mit Gerhard wird nichts! Schlag' dir das aus dem Kopf!"

„Aber Vater!" rief das Mädchen freudestrahlend. „Diese Heirat war doch nur *dein* Wunsch. Ich mag Gerhard ja gar nicht. Darf ich nun meinen Fritz heiraten?"

„Ach, heirate, wen du willst!" brummte der Alte ärgerlich.

Er legte sein Amt nieder, der Dorflehrer wurde zum Bürgermeister ernannt, Lisbeth heiratete Fritz, Gerhard, der nur Lisbeths Geld haben wollte, mußte in der Stadt Arbeit suchen gehen, und der Reporter, der den guten Artikel gebracht hatte, bekam eine Gehaltserhöhung, sodaß auch er heiraten konnte.

Josua aber saß am Morgen nach diesen aufregenden Ereignissen im Wirtshaus des nächsten Dorfes und nahm sein Frühstück. Als er fertig war, kam die Kellnerin und kassierte ein.

„Wieviel bekommst du dafür?" fragte er . . . „Ah, das versteh ich nicht . . ." Die Kellnerin schrieb die Zahl auf. „Danke schön. Mehr kann ich nicht sagen. Guten Tag!"

Er nahm seinen Hut und ging auf der Landstraße weiter, ins fremde Land hinein. . . .

18

Der Musterknabe

HERR SCHIMMERLING spielte gerade in aller Seelenruhe eine Partie Golf, als Otto Flick an ihn herantrat.

„Verzeihung," begann er höflicher, als man bei ihm gewohnt war, „ich muß Sie sprechen."

Herr Schimmerling war der gutmütigste Herr der Welt. 5 Aber er liebte es nicht, beim Golfspiel gestört zu werden. „Ist es etwas Wichtiges?" knurrte er.

Otto dachte einen Augenblick nach. „Hm, ja-a-a," sagte er schließlich. „Ziemlich. Ich wollte Sie mal fragen, ob Sie was dagegen haben, wenn ich Ihre Tochter heirate." 10

Herr Schimmerling machte vor Erstaunen einen Schritt vorwärts und stolperte über seinen Golfschläger. „Wie?" rief er empört, „Sie wagen, das zu fragen, Sie, ein Trinker, ein Spieler, ein Verschwender, ein Raufbold, ein . . ."

„Ich sehe, Sie kennen mich," unterbrach ihn Otto Flick. 15 „Aber Sie kennen auch Ihre Tochter Ilse und Sie wissen, daß sie alles durchsetzt, was sie sich in den Kopf gesetzt hat."

„Und Ilse hat sich in den Kopf gesetzt, Sie zu heiraten?"

Otto nickte nachdrücklich und siegesgewiß. Denn er wußte, daß Herr Schimmerling schwer widerstehen konnte, 20 wenn Ilse etwas von ihm wollte.

„Unmöglich!" rief Schimmerling. „Ich kann mein einziges Kind doch nicht einem Trinker, einem Spie . . ."

„Ich werde mich bessern," unterbrach Otto Flick.

„Ich bitte Sie! *Sie* wollen sich bessern . . . ?"

„Ich will es beweisen."

„Da bin ich aber neugierig!"

„Gut," versicherte Otto. „Ich will beweisen, daß ich
5 ordentlich und anständig leben kann. Wenn mir dieser Beweis gelingt — werden Sie mir alle Jugendstreiche verzeihen,
meine Vergangenheit vergessen und alles, was bis heute geschehen ist, vergeben?"

Schimmerling blickte den Jungen an, der ein sehr ehrliches
10 Gesicht machte. „Vielleicht ist es die Liebe, die ihn bessert,"
dachte der alte Herr gerührt, „ich darf ihm den Weg zur Besserung nicht unmöglich machen." Er sprach: „Wie wollen
Sie das beweisen? Sie können doch nicht einmal eine einzige
Woche ordentlich leben!"

15 „Ich will zwei Monate lang so brav leben wie der Obmann
des ‚Vereins der Gesetzesfreunde',[1] als Beweis, daß ich
ordentlich sein kann, wenn ich will," erklärte Otto feierlich.
„Ich werde es so einrichten, daß Sie alle meine Handlungen
überwachen können."

20 „Sie werden also zwei Monate lang keinen Alkohol
trinken?"

„Keinen Tropfen!"

„Und höchstens, sagen wir mal, fünf Zigaretten im Tag
rauchen?"

25 „Nicht eine einzige."

Schimmerling betrachtete den zukünftigen Schwiegersohn
etwas freundlicher. „Und wie steht es mit dem Kartenspiel?"

„Ich werde keine Karte anrühren."

---

[1] **Verein der Gesetzesfreunde,** jocular analogy to similarly named or-
ganizations: *Naturfreunde* ("Friends of Nature"), "Friends of Dumb
Animals," etc.

„Werden Sie am Abend immer rechtzeitig nach Hause kommen?"

„Ich werde gar nicht weggehen, sondern die ganze Zeit bescheiden zwischen den vier Wänden verbringen."

„Wahrscheinlich werden Sie sich schlechte Gesellschaft einladen, raußlustige und lärmende Burschen. . . ."

„Keiner meiner Freunde wird seinen Fuß in mein Zimmer setzen," versicherte Otto. „Ich werde überhaupt keine Gesellschaft haben, sondern wie ein Mönch in der Einsiedelei leben."

„Und das soll ich glauben?"

„Ich sagte schon, ich werde es so einrichten, daß Sie mich beaufsichtigen können, wann immer Sie wünschen."

„Hören Sie, mein Junge, Sie stellen sich das leichter vor, als es sein wird. Sie sind ein freies Leben gewohnt, Luxus, Verschwendung. . . ."

„Wenn ich etwas verspreche," sagte Otto mit Würde, „halte ich es auch. Ich werde auf alles verzichten, was Sie Luxus nennen. Meine Kleidung wird einfach sein. Bisher habe ich täglich zweimal den Anzug gewechselt; nun werde ich stets denselben Anzug tragen. Bisher habe ich immer die teuersten Leckerbissen gegessen: Ich verspreche, daß meine Mahlzeiten ganz einfach und ohne Abwechslung sein werden. . . ."

„Sagen Sie mal," wandte Schimmerling mißtrauisch ein. „Haben Sie vielleicht plötzlich Ihr ganzes Vermögen verloren?"

Otto schüttelte den Kopf. „An meinem Vermögen hat sich nichts geändert. Ich kann sehr gut von meinen Zinsen leben, und Ilse wird ein angenehmes Leben haben."

„Also gut," sagte Schimmerling schließlich. „Sie scheinen

es ehrlich zu meinen. Sie versprechen also, zwei Monate lang keine Karten, keinen Alkohol zu berühren, keine Raufereien zu beginnen und überhaupt vernünftig zu leben?"

Otto nickte. „Gewiß. Und wenn ich diese Probe bestehe,
5 dann geben Sie mir Ilse zur Frau und vergessen mein ganzes Vorleben mit all seinen Streichen?"

„Abgemacht. Es ist zwar albern, aber ich bin einverstanden." Schimmerling schüttelte dem jungen Mann zur Bekräftigung die Hand. „Wann beginnen Sie mit der Probe-
10 zeit?"

„Morgen."

„Ausgezeichnet. Es gilt! Aber ich wette, Sie werden die zwei Monate nicht aushalten."

„Ganz bestimmt," versprach Otto. Er beugte sich vertrau-
15 lich zu seinem zukünftigen Schwiegervater: „Ich habe vor einigen Tagen ein unangenehmes Erlebnis gehabt. Die ganze Nacht habe ich mit meinen Freunden Karten gespielt und Bier getrunken. Wenn ich viel trinke und beim Spiel verliere, werde ich immer rauflustig, wissen Sie? Da hab' ich einem
20 reichen Amerikaner eine Ohrfeige gegeben und ihm einen Zahn ausgeschlagen. Diesmal hat der Richter keinen Spaß verstanden und mich zu zwei Monaten Gefängnis verurteilt. Na, morgen trete ich die Strafe an."

* 19 *

Der Mann mit dem Muttermal

GEORG RITTER, der junge Autor von Kriminalromanen, saß
schlecht gelaunt im Büro des Verlegers Hesterburg. Denn
dieser wollte das neueste Manuskript Ritters nicht drucken;
statt dessen gab er dem Schriftsteller gute Lehren, und das
konnte der junge Mann nicht vertragen.   5

„Nein, mein Lieber," sagte Hesterburg, „ich kann Ihren
Roman leider nicht veröffentlichen. Denn was Sie schreiben
ist zu unwahrscheinlich und kann im wirklichen Leben niemals vorkommen. Zum Beispiel ist es in der heutigen Zeit
unmöglich, daß die Hauptperson Ihrer Geschichte überall, 10
an den ungewöhnlichsten Stellen geheimnisvolle Zettel und
Warnungen findet. Wie sollen sie etwa in die Seife gekommen sein, mit der der Held sich die Hände waschen will?

Eine andere Szene aus Ihrem Manuskript kann auch
niemals im Leben vorkommen: Ihr Verbrecher verkleidet 15
sich ununterbrochen und wird niemals erkannt. Er betritt
das Zimmer als Elektriker im Arbeitsanzug, verläßt es fünf
Minuten später als alte Zigeunerin und erscheint eine Viertelstunde nachher am Hafen als betrunkener Matrose. Glauben Sie, daß ein Mensch immer mit falschen Bärten herum- 20
laufen kann, ohne sofort verhaftet zu werden? Nein, Ritter,
solche Scherze darf man sich heute nicht mehr erlauben.

Am lächerlichsten ist das Schlußkapitel Ihres Buches. Der
Verbrecher kündigt mit viel Pomp an, den Diebstahl am 13.
November um Punkt halb vier Uhr nachmittags im Salon
des Herzogs durchführen zu wollen. Glauben Sie, ein Ver-
5 brecher wird so verrückt handeln? Was sollte das für Sinn
haben? Ich sage Ihnen: Wenn sich die Handlung Ihres Ro-
mans in Wirklichkeit abspielt, dann sitzt Ihr famoser Verbrecher schon auf Seite 5 hinter Schloß und Riegel. Ein Roman, auch ein Kriminalroman, soll aber lebenswahr sein.
10 Sind Sie dem unrasierten Mann begegnet, der eben aus der
Tür ging, als Sie hereinkamen? Das war Franz Siebentot, der
Einbrecherkönig, der eben seine fünfjährige Kerkerstrafe
hinter sich hat. Ich werde die Memoiren veröffentlichen, die
er im Gefängnis geschrieben hat. Von diesem Mann können
15 Sie etwas lernen! Da gibt es keine geheimnisvollen Zettelchen
und keine angekündigten Überfälle! Sie müssen Dinge
schreiben, die im Leben vorkommen und jedem von uns
zustoßen können. Das werde ich gern veröffentlichen. Ich
hoffe, Sie sehen meinen Standpunkt ein, junger Mann. Alles
20 Gute, auf Wiedersehen!" Er klopfte Georg Ritter gönnerhaft
auf die Schulter.

Als dieser gegangen war, verbrachte Hesterberg noch einen
anstrengenden Nachmittag im Büro und kam am Abend
todmüde nach Hause. Er drehte das Licht an und erblickte
25 auf seinem Polster einen Zettel. Neugierig nahm er ihn und
las:

DOLCH! GIFT! MITTERNACHT!
NUR NOCH DREI TAGE!
DER MANN MIT DEM MUTTERMAL!

30 Hesterberg klingelte seiner Haushälterin. Sie hatte keine
Ahnung, wie der Zettel auf den Polster gekommen war. Der

Verleger lächelte gedankenvoll und legte sich beruhigt schlafen.

Am nächsten Morgen fiel ihm beim Waschen die Hälfte der Seife aus der Hand. Ein Papier lag eingerollt darin, auf dem mit Blockbuchstaben die Worte standen: 5

DER ZWEITE TAG IST ANGEBROCHEN!
WEHE, WEHE, WEHE! NEHMT EUCH IN ACHT VOR
DEM MANN MIT DEM MUTTERMAL!

Hesterberg lachte laut. Dieser Ritter hatte recht nette Einfälle. Wie hatte er nur den Zettel in die Seife gebracht? Auf 10 diese Weise sollte wahrscheinlich bewiesen werden, daß die unmöglichen Szenen aus dem abgelehnten Roman in Wirklichkeit doch vorkommen konnten. Er wunderte sich nicht, als er in seinem Büro einen neuen Zettel vorfand. Dieser war mit einem Dolche am Türpfosten befestigt und lautete: 15

4 ODER 9? GRÜN ODER SCHWARZ?
DER FROSCH HAT GEQUAKT! ZITTERT VOR
DEM MANN MIT DEM MUTTERMAL!

Der Verleger konnte nicht arbeiten, da er umherspähen mußte, ob er nicht Ritter oder einen Helfer entdecken konnte, 20 wie er gerade einen Zettel irgendwo hineinschmuggelte. Er bemerkte zwar keinen Menschen, wohl aber noch einige Zettel im Kassenbuch, unter der Korrespondenz und in seinem Zigarettenetui. Er wurde immer ärgerlicher. Man konnte sich von diesem Lausejungen doch nicht so widerle-25 gen lassen! Er versteckte sich im Ankleideraum und beobachtete durch das Schlüsselloch sein Arbeitszimmer. Im Schlüsselloch steckte ein Zettel.

Der Verleger zerknüllte ihn wütend und schwor, Ritter [1]

_____
[1] Ritter, dative.

auf die Spur zu kommen. Da öffnete sich die Tür zu seinem Arbeitszimmer. Hesterberg hielt den Atem an. Ein hagerer Mensch in einem blauen Arbeitsanzug und einem roten Bart wurde sichtbar. Er näherte sich rasch dem Schreibtisch. Aber 5 der Verleger war rascher. Er stürzte aus seinem Versteck hervor und versuchte dem Einbrecher mit einem einzigen Griff den falschen Bart herunterzureißen.

Der Mann schrie auf, denn der Bart war angewachsen.

„Wer sind Sie?" rief Hesterberg.

10 „Der Elektriker!"

„Hinaus!" schrie der Verleger, „aber vorher geben Sie den Zettel her!"

„Welchen Zettel?" fragte der andere verwundert und strich seinen Bart, der noch immer schmerzte. „Ich bin be- 15 stellt. Bei Ihnen soll die Leitung schadhaft sein," fügte er zweideutig hinzu.

Es blieb dem Verleger nichts übrig, als sich zu entschuldigen. An eine Arbeit war heute ohnehin nicht zu denken. Er ging ins Kino und frühzeitig zu Bett.

20 Schlafen konnte er nicht. Die ganze Nacht lauerte er, um Ritter zu ertappen, wenn er mit einer neuen Botschaft einschleichen sollte. Nichts rührte sich. Am Morgen lag ein Zettel im Käfig des Kanarienvogels.

ACHTUNG! ACHTUNG!
25 HANSI, DER VOGEL SAMT KÄFIG, WIRD GERAUBT!
HEUTE, PUNKT HALB VIER UHR NACHMITTAGS!
DER MANN MIT DEM MUTTERMAL LÄSST GRÜSSEN.

Das war doch der Gipfel der Frechheit! Aber diesmal sollte der Kerl den Kürzeren ziehen. Einen Augenblick über- 30 legte Hesterberg, ob er die Polizei rufen sollte. Aber er gab den Gedanken sofort auf, denn er wollte sich nicht lächerlich

Hesterberg spannte seinen Revolver

machen. Wegen eines Kanarienvogels! Aber entgehen sollte
ihm der Bursche nicht! Er versammelte alle seine Freunde
und sein ganzes Personal um sich und verteilte alle im ganzen
Haus. Er setzte sich in sein Zimmer, dem Käfig gegenüber.
5 Als er einen Revolver zu sich steckte, kam er sich selbst lächerlich vor. Er hatte auch eine Alarmpfeife, die sofort alle Be-
kannten und Diener herbeirufen sollte. Es war zehn Minuten
vor halb vier.

Minute um Minute verging. Nichts rührte sich. Keiner der
10 Freunde gab das Zeichen, das für einen verdächtigen Zwischenfall vereinbart war.

Drei Minuten vor halb.

Zwei Minuten.

Hesterberg spannte seinen Revolver. Noch eine Minute.
15 Aufmerksam verfolgte er den Sekundenzeiger seiner Arm-
banduhr.

Halb vier . . .!

Nichts. Der Vogel, ungeachtet der angedrohten Ent-
führung, hatte soeben Mahlzeit gehalten. Er setzte sich nun
20 auf die oberste Stange und schmetterte ein Lied.

Zwei Minuten nach halb. Nichts war geschehen.

Hesterberg kam sich plötzlich sehr dumm vor, daß er sich
so hatte an der Nase herumführen lassen. Diese verwünschten
Zettel hatten ihn nervös gemacht! Nun schön. Er hatte eben
25 zwei Arbeitstage verloren, die er in der Wohnung statt im
Büro verbracht hatte. Aber sonst war der Spaß recht gut gewesen. Der junge Ritter war doch ein drolliger Kauz. Daß
er aber doch nicht gewagt hatte, ihm den Vogel vor der Nase
zu stehlen, stimmte den Verleger fröhlich. Er ging zum Tele-
30 fon und rief den Autor an.

„Ritter," rief er gutgelaunt in den Apparat, „der Mann
mit dem Muttermal, nicht wahr? Nun, was macht der Vo-

gel? Er singt hier sehr gemütlich. Der Frosch hat gequakt,
haha! Wie? Ach, stellen Sie sich doch nicht so . . . Na,
schicken Sie mir jedenfalls Ihr Manuskript, ich werde es mir
noch einmal überlegen!"

„Er erklärt, er weiß von nichts," sagte er zu seinen Freun- 5
den. „Ritter weiß von nichts, haha!"

Vergnügt fuhr er mit seinem Personal ins Büro.

Dort fand er eine gewaltsam geöffnete Kasse vor. Sie war
vollkommen leer bis auf einen Zettel:

TAUSEND DANK FÜR LEERES BÜRO!   10
GELD HABE ICH. VOGEL HABEN SIE!
SO ARBEITET
DER MANN MIT DEM MUTTERMAL!

Erst als die Polizei eintraf, hatte sich Hesterberg soweit
von seinem Wutanfall erholt, daß er sich einigermaßen ver- 15
ständigen konnte. „Franz Siebentot," stammelte er, „der
unrasierte Lump, hat Ritter und mich belauscht! Er war es,
der die Zettel überall hinlegte, um meine Aufmerksamkeit
abzulenken . . .!"

Plötzlich erheiterte sich sein Gesicht. „Das sollte Ritter 20
schreiben," dachte er, „das ist eine Geschichte! Einfach und
lebenswahr, — ach, viel zu lebenswahr!"

✳ 20 ✳

Ein echter Rosatti[1]

HERBERTS WAGEN sauste die schmale Landstraße entlang, die Bäume flogen mit hundert Kilometer Geschwindigkeit an ihm vorbei. In drei Stunden mußte er in New York sein, um morgen früh an der wichtigen Konferenz mit dem Präsi-
5 denten der Eisenwerke frisch und ausgeruht teilnehmen zu können.

Plötzlich begann das Auto zu klappern, die Geschwindig-keit wurde immer geringer — und dann ging es überhaupt nicht mehr. Ärgerlich sprang Herbert vom Sitz. Benzin hatte
10 er genug, Öl auch. Es mußte irgend etwas gebrochen sein.

Ein Mechaniker mußte gefragt werden. Herbert sah sich um. Die Gegend schien volkommen leer. Einsame Wiesen und Felder; nur ganz in der Ferne standen einige Häuser.

Er machte sich sofort auf den Weg. Eine halbe Stunde
15 mußte er laufen, stets von dem Gedanken an die morgen stattfindende Konferenz getrieben. Endlich erreichte er das kleine, verschlafene Dorf. Man wies ihn an Herrn Pitt, — den einzigen, der hier etwas von Automobilen verstand.

Herr Pitt war ein älterer Mann, Mechaniker, Schmied und
20 Schlosser zugleich. Herbert erklärte eilig, was vorgefallen war.

„Ein Glück, Herr, daß Sie mich gefunden haben," sagte

---

[1] **ein Rosatti,** a fictitious make of auto, named after the alleged manu-facturer; *cf.* a Ford, *etc.*

Pitt, der offenbar ein bescheidener Mensch war. „Ich bin vielleicht der älteste Autofachmann in Amerika."

Herbert glaubte gern, daß er der „älteste" war. Daß er auch ein „Fachmann" war, mußte er wohl erst beweisen. Jedenfalls war dieser Mann der einzige, der in dieser verlassenen Gegend zu finden war. Herbert bat ihn flehentlich, sich zu beeilen. Der Alte lief so rasch er konnte, doch dauerte es fast eine Stunde, bis sie zu dem Wagen kamen.

Pitt machte sich an die Arbeit. Er schien wirklich ein Fachmann zu sein. Nicht die kleinste Schraube blieb ihm verborgen. Er drehte, fühlte, klopfte, horchte . . . Herbert wartete ungeduldig auf seine Entscheidung.

„Aha!" sagte Pitt endlich befriedigt und blickte Herbert triumphierend an. „Sie können froh sein, daß Sie mich gefunden haben: Es ist ein Achsenbruch."

„Wie lange wird es dauern, bis Sie ihn repariert haben?"

„Repariert? Sie müssen doch wissen, daß man so etwas nicht reparieren kann. Da muß eine neue Achse aus der Fabrik gebracht werden."

„Aber um des Himmels willen, ich muß doch heute in New York sein!"

„Mit diesem Wagen nicht," erklärte Pitt mit Sicherheit.

„Nun gut," stöhnte Herbert. „Dann sagen Sie mir bitte wenigstens, wie ich am raschesten zum nächsten Bahnhof komme."

„Die nächste Station ist vier Stunden entfernt, — wenn Sie sehr rasch gehen." Er zog eine schwere silberne Uhr aus der Tasche. „In zweieinhalb Stunden fährt der letzte Zug nach New York. Es ist eine sehr einsame Gegend hier."

„Gibt es denn hier kein Auto, das ich mieten kann — kein Pferdefuhrwerk?"

Pitt schüttelte den Kopf. „Wir sind ein ganz kleines Dorf, Herr."

„Vielleicht im nächsten Ort — irgend ein Auto. Wenn man es nicht mieten kann, werde ich es kaufen. Es ist doch nicht möglich, daß man drei Autostunden von New York entfernt so von der Welt abgeschnitten ist, wie vom Mond. Denken Sie nach, Pitt. Ich *muß* nach New York. Es wird doch in dieser ganzen Gegend etwas geben, das vier Räder hat und rollt — wenigstens bis zum nächsten größeren Ort!"

Da lächelte plötzlich der Alte. „Da fällt mir etwas ein . . . Ich habe selbst ein Auto."

Herbert wollte eben sagen, „das fällt Ihnen erst jetzt ein?" aber er beherrschte sich und fiel Pitt statt dessen um den Hals.

„Allerdings . . . ich weiß nicht, ob es geht . . ." sagte dieser, „ich bin in meiner Jugend darauf gefahren . . . jetzt steht es schon vierzig Jahre in meinem Schuppen . . . vielleicht kann man noch damit fahren . . . es ist ein echter Rosatti."

Aufgeregt kehrten sie ins Dorf zurück. Herbert, weil er eine schwache Hoffnung hegte, Pitt, weil ihn als alten Fachmann die Möglichkeit, diesen alten Karren zum Fahren zu bringen, interessierte.

Der Schuppen war ziemlich groß und mit einer Menge altem Kram angefüllt.

„Wir müssen in die linke Ecke vordringen, dort steht er."

Sie räumten gemeinsam Schienen, Zäune und Draht in großen Mengen weg. „Halt!" rief Pitt nach etwa einer Stunde, „dort steht er!" Dann zog er den Wagen ans Tageslicht.

Er sah genau so aus, wie eine Kutsche, der die Pferde ausge-

spannt worden waren. Kein Mensch konnte in diesem Ding
ein Auto erkennen. Es ruhte auf vier dünnen Rädern, mit
Reifen wie ein Fahrrad. Die Sitze waren hoch oben. Lampen
aus gelbem Messing schwebten vorne frei in der Luft. Selbstverständlich waren sie nicht elektrisch, sondern Öllampen.   5

Herbert war nahe daran, laut zu lachen — leider war die
Lage doch zu verzweifelt. Pitt aber freute sich sehr über
seinen alten Freund. Er schraubte und drehte an verschiedenen Stellen, er ölte und schmierte, kurz er bewies, daß er
wirklich ein „alter Fachmann" war. Plötzlich steckte er einen 10
riesigen eisernen Haken in den Bauch des Drachens und begann zu drehen. Das „Auto" gab Geräusche von sich, erst
leise ächzend, dann immer lauter, zuletzt ein tosendes Knattern. Es erwachte aus vierzigjährigem Schlaf. Schließlich
schwang sich Pitt auf den Sitz, und Herbert erlebte das Wun- 15
der, daß sich diese pferdelose Kutsche bewegte.

„Es fährt," brüllte Pitt begeistert durch das Getöse, „es
fährt! Was wollen Sie noch? Ein echter amerikanischer Rosatti!"

Er machte eine Kurve und kam zurück. Herbert sprang 20
ängstlich zur Seite, aber Pitt brachte das Ungeheuer zum
Stehen und kletterte im Triumph von seinem Sitz. „Ein wun-
derbarer Wagen," meinte er. „Was sagen Sie? Vierzig Jahre
steht er im Schuppen. Mit diesem Wagen können Sie zum
Bahnhof und sogar bis New York fahren."   25

Herbert war nicht so sicher, aber er hatte keine Wahl. Er
ließ sich die nötigen Handgriffe erklären, zahlte dem Alten
30 Dollar (eine anständige Summe!), bestieg die Kutsche —
und fuhr!

Das Auto ächzte gewaltig und der Sitz war so unbequem 30
gebaut, daß Herbert ganz steif sitzen mußte. Aber sein Er-

**Der Sitz war so unbequem, daß Herbert ganz
steif sitzen mußte**

staunen, daß es sich überhaupt bewegte, war so groß, daß er
dies alles nicht beachtete. Es bewegte sich nicht einmal zu
langsam. In weniger als einer Stunde hatte er den Bahnhof
erreicht. Aber der letzte Zug war doch schon weggefahren.
So fuhr er denn weiter. Die Gegend wurde schon belebter, 5
und er erregte trotz der Dunkelheit Sensation. Das Aussehen
des Fahrzeuges war ebenso auffallend, wie der Lärm, den es
verursachte. Selbstverständlich hielt ihn der erste Polizist,
den er antraf, empört an. Als ihm aber Herbert sein Unglück
erklärte, gab der Polizist Herbert den guten Rat, bei der 10
nächsten Tankstelle zu warten, bis ein „wirkliches" Auto
stehen blieb und ihn mitnahm.

Der brave Rosatti blieb nun bei einer Tankstelle zurück,
und Herbert kam mit einem freundlichen Autofahrer nach
New York. Er konnte noch einige Stunden schlafen, bis zu 15
der großen und wichtigen Konferenz.

Am nächsten Tage ließ er seine beiden Wagen in die Stadt
schleppen. Sein eigenes Auto mußte repariert werden. Da die
dumme Geschichte Herbert schon genug Geld gekostet hatte,
versuchte er den „echten amerikanischen Rosatti" zu ver- 20
kaufen. Aber die Händler lächelten nur mitleidig. Was
sollten sie mit einem solchen Drachen anfangen? Nicht einmal einen einzigen Dollar wollten sie dafür geben.

Endlich riet ihm ein Händler, sich direkt an die Rosatti-
Werke zu wenden. Diese nahmen ihr eigenes Erzeugnis 25
vielleicht am ehesten.

Bei Rosatti empfing ihn ein gutgekleideter Sekretär. Er
besah den Wagen und hörte den Wunsch Herberts wenigstens an, ohne zu lachen.

„Welchen Preis verlangen Sie?" fragte der junge Mann.   30
„Ich habe dreißig Dollar dafür bezahlt und möchte gerne
diesen Betrag wieder bekommen."

„Einen Augenblick, bitte."

Der Sekretär verschwand und kam nach einiger Zeit mit einem Direktor zurück. Auch dieser besah genau den Wagen. Dann sagte er: „Ich höre, Sie verlangen dreißig Dollar für
5 den Wagen. Ich glaube nicht, daß dies ein ehrenhaftes Geschäft ist. Wir sind eine Weltfirma. Darf ich Ihnen vorschlagen, uns den Wagen zu überlassen, wenn wir Ihnen einen fabrikneuen Rosatti neuesten Modells dafür geben?"

Herbert starrte den Mann nur wortlos an.

10 „Die Sache ist nämlich die," erklärte der Direktor lächelnd. „Wir veranstalten zum 50jährigen Jubiläum der Rosatti-Werke eine große Ausstellung, in der wir auch unsere ersten fünf Modelle zeigen wollen. Nummer eins, drei, vier und fünf haben wir bereits. Nummer zwei war bisher, trotz
15 eifriger Bemühung, nicht auffindbar. Dieser Wagen hier ist das längst gesuchte Modell zwei."

✳ 21 ✳

Der Kassier

FRANZ KRAUTSTOFFEL sah auf die grosse Uhr, die in der Halle der Bank hing. Fünf Minuten vor fünf. Er lächelte vor sich hin. „Bald kann ich nach Hause gehen," dachte er.

Krautstoffel war der Kassier der Bank. Er war ein sehr gewissenhafter Beamter, der niemals einen Fehler machte. 5 Am Abend, wenn er seine Einnahmen und Ausgaben zusammenrechnete, mußten die Ziffern genau stimmen. Seit fünfundzwanzig Jahren war Krautstoffel Angestellter der Bank. Niemals sahen ihn seine Bürokollegen aufgeregt oder geistesabwesend. 10

Aber heute war es anders. Schon den ganzen Nachmittag sah Krautstoffel auf die Uhr, öffnete und schloß Schubladen, gab falsche Antworten, wenn man ihn etwas fragte. „Etwas ist los mit Krautstoffel," dachten die Damen, die an den Schreibmaschinen in der Bank saßen. 15

Nun, mit Krautstoffel selbst war eigentlich nichts los. Aber mit seiner kleinen Tochter Liesl. Liesl hatte heute ihren zehnten Geburtstag. Das mußte natürlich gefeiert werden, und Papa Krautstoffel konnte es gar nicht erwarten, rasch nach Hause zu kommen. Um fünf Uhr schloß die Bank. 20

Als es fünf Minuten vor fünf war, schloß Krautstoffel die Bücher, sperrte die große eiserne Kasse zu, in der das Geld aufbewahrt wurde, und begann seinen Mantel anzuziehen.

In diesem Augenblick erschien ein Mann mit einem dicken

Bündel Banknoten. „Hier sind zehntausend Mark," sagte
der Mann zum Kassier. „Dieses Geld muß noch heute hier
deponiert werden." Er schob Krautstoffel die Banknoten hin.
„Bitte um eine Bestätigung!"

5 Ärgerlich zog Krautstoffel den Mantel wieder aus, öffnete
die Schublade, in der sein Schreibzeug lag, und schrieb die
Bestätigung. „Hier," sagte er unfreundlich. „Kommen Sie
gefälligst das nächste Mal etwas früher!"

„Sie haben bis fünf Uhr in der Bank zu sein, nicht bis
10 fünf Minuten vor fünf," sagte der Mann grob. Dann ging er
fort.

In diesem Augenblick schlug die Uhr fünf Schläge, Krautstoffel warf die Lade zu und verließ die Bank, so rasch er
konnte.

15 Eine halbe Stunde später kam er zu Hause an und klingelte. Liesl öffnete die Tür, und kurz darauf war die ganze
Familie eifrig beschäftigt, die Geschenke zu bewundern, die
Liesl bekommen hatte. Die Familie verbrachte einen vergnügten Abend, und es war zehn Uhr, als Liesl schlafen ging.
20 Heute durfte sie länger als sonst aufbleiben.

Auch Liesls Eltern zogen sich zurück und schliefen bald
ein.

Krautstoffel träumte. Es war ein seltsamer Traum. Er
träumte die Erlebnisse dieses Tages, aber in verkehrter
25 Reihenfolge. Zuerst sah er sich und Liesls Mutter und Liesl
die Spielsachen bewundern, die auf dem Tisch im Wohnzimmer ausgebreitet lagen. Dann sah er sich im Traum nach
Hause kommen und Liesl die Tür öffnen. Dann sah er sich
an der Tür zur Wohnung klingeln. Er fuhr dann — im
30 Traum — mit der Straßenbahn zur Bank. All das dauerte im
Schlaf natürlich viele Stunden.

In der Bank sah er sich seinen Mantel anziehen. Dann kam der unhöfliche Mann, und Krautstoffel gab ihm eine Bestätigung.

Und dann geschah etwas Merkwürdiges. Krautstoffel sah sich selbst die zehntausend Mark in die Schublade legen, als [5] er die Schreibsachen aus der Lade herausnehmen wollte. Er sah weiter, daß er in seiner Eile — er wollte doch rasch nach Hause kommen — das Geld in der Lade ließ, statt es in die eiserne Kasse einzusperren.

Der gewissenhafte Krautstoffel bekam Herzklopfen. „Die [10] Lade ist nicht einmal versperrt," dachte er. „Jeder, der vorbei kommt, kann die zehntausend Mark stehlen."

Im Traum sah Krautstoffel auf die große Uhr in der Halle der Bank. Es war fünf Uhr. Fünf Schläge ertönten.

Krautstoffel wachte auf und hörte den fünften Schlag der [15] Uhr im Schlafzimmer. Es war fünf Uhr morgens. Alles war noch dunkel.

„Gott sei Dank, es war alles nur ein Traum," dachte Krautstoffel. „Das Geld ist sicher in der Kasse." Dann dachte er einen Augenblick nach, und Schweißperlen traten auf seine [20] Stirn. „Nein!" sagte er laut und weckte beinahe Frau Krautstoffel. „Das Geld ist nicht in der Kasse! Ich habe *wirklich* vergessen, es einzusperren! Das Geld liegt wirklich in der offenen [1] Lade! Entsetzlich!" stöhnte er. „Hoffentlich ist nichts geschehen." [25]

Die Bank öffnete erst um acht Uhr früh. Er konnte im Augenblick nichts tun als warten. Er wälzte sich von einer Seite zur anderen, konnte aber nicht wieder einschlafen.

Um sieben Uhr früh stand er auf und zog sich an. Liesl

---

[1] **offenen,** here in the sense *unversperrten* ("unlocked"). *Cf.* next page: *öffnete die unversperrte Lade.*

brachte ihm die Zeitung. Er öffnete sie und traute seinen
Augen nicht. Hier, auf der ersten Seite, stand in großen Buchstaben: „Freche Einbrecher in der Städtischen Bank."

Krautstoffel ließ die Zeitung aus der Hand gleiten, vergaß,
5 sein Frühstück zu essen, und stürzte aus dem Haus.

Vor der Bank standen Polizisten und ließen niemanden
außer den Angestellten hinein. Der Direktor der Bank stand
vor der großen Kasse, deren Tür aufgesprengt war.

„Die Einbrecher haben Glück gehabt," sagte der Direktor
10 gerade. „Gestern Abend wurde noch ein großer Betrag von
zehntausend Mark deponiert. Den haben sie gestohlen. Die
Kasse ist leer."

Krautstoffel öffnete ahnungsvoll die unversperrte Lade.
Hier, in schönen, regelmäßigen Paketen, lagen die zehntau-
15 send Mark. Krautstoffel ergriff die Banknotenbündel und
wandte sich zum Direktor.

„Die Einbrecher haben Pech gehabt," rief er. „Sie haben
das Geld in der Kasse vermutet, aber nicht in der unversperrten Lade." Und er zählte dem verblüfften Direktor
20 zehntausend Mark hin.

Der größte Fund seines Lebens

„James Philipps" stand auf der kleinen Tafel an der Tür
einer Londoner Vorstadtwohnung. Der Besucher klingelte,
und ein junger, blasser Mann öffnete die Tür. „ —Treten Sie
bitte näher — ja, gewiß, ich heiße Philipps."

Die beiden gingen eine enge Treppe hinauf. Der junge 5
Mann führte seinen Gast, Herrn Hobson, in ein kleines, ärm-
liches Zimmer, in dem die einzige Behaglichkeit in einem
automatischen Gasofen bestand, der für kurze Zeit eine
dürftige Wärme spendete, wenn man eine Münze einwarf.
Philipps entschuldigte sich wegen der Kälte, warf einen 10
Penny in den Automaten und zündete an. Man konnte leicht
erraten, daß er aus Sparsamkeit gewöhnlich nicht heizte.

Hobson deutete auf einen Kasten in der Ecke des Zimmers.
„Ist das die Sammlung, die Sie verkaufen wollen?"

Der Junge nickte. Er sperrte einen Kasten auf, der mit 15
kleinen Schubladen gefüllt war. Er zog einige heraus und
zeigte sie dem Gast. Hier lagen Dutzende von Gold- und
Silbermünzen in verschiedenen Größen sorgsam geordnet.
„Mein Onkel hat sie in vielen Jahren zusammengetragen."

„Ja," nickte der Gast anerkennend. „Sir John Philipps war 20
ein bekannter Sammler."

„Ich habe die Sammlung geerbt," setzte der Junge fort.
„Aber ich muß gestehen, ich habe wenig Verständnis dafür.
Leider ist meine Lage so, daß ich keine andere Wahl habe,

Ein gewöhnlicher Penny lag darunter

als sie zu verkaufen. Sie ist totes Vermögen — und ich muß leben."

Der Gast zog ehrfürchtig eine Schublade nach der anderen heraus. Er war Kenner und verstand den Wert der vor ihm liegenden Stücke. Als er beinahe fertig war, bemerkte er ein 5 kleines, abgeteiltes Quadrat, das mit einem Stück Samt bedeckt war und eine besonders wertvolle Münze zu enthalten schien. Er hob den Samt ab. Ein gewöhnlicher Penny lag darunter.

James Philipps lächelte, als er den erstaunten Blick des 10 Gastes sah. „Merkwürdig, was? Eine alte Geschichte — Wenn Sie wollen, erzähle ich sie Ihnen. Mutter hat sie mir oft erzählt. Falls es Sie interessiert . . ."

„Gewiß," versicherte Hobson. „Wir Sammler haben eine große Achtung vor Sir John. Eine Münze, die Sir John teuer 15 war, wird gewiß ihre Geschichte haben."

Philipps schob den Gast näher zum Gasofen, wo es wärmer war.

„Die Geschichte des Pennys geht auf das Jahr 1906 zurück. An einem Wintermorgen jenes Jahres saß Sir John vor 20 einem Berg von Pennies und nahm jeden einzeln unter sein Vergrößerungsglas. Er wechselte die Pennies täglich in der Bank. Der Kassier kannte schon den sonderbaren, silberhaarigen Alten, der jeden Morgen die Bank mit einem neuen Sovereign betrat und mit einem Sack voll Pennystücken 25 verließ. Er suchte Prägungsfehler.

So wie viele Markensammler Unregelmäßigkeiten im Druck suchen, die selten und daher wertvoll sind, so forschte Sir John nach Unregelmäßigkeiten in der Prägung. Tausende von Pennystücken mußten durch seine Hände gehen, ehe er 30 eines fand, bei dem die Haarschleife der jungen Königin

Victoria um einen Schatten länger oder das Barthaar König
Eduards breiter oder schmäler war, als es sein sollte. Im Laufe
der Jahrzehnte fand er so [1] manches interessante Stück.

Freilich — es gab noch andere Menschen, die ebenso
5 scharf wie er jede einzelne Münze prüften. Sie saßen in der
Königlichen Münze vor einem laufenden Band, auf dem un-
gezählte neugeprägte Pennies vorbeiliefen. Durch eine Vorrichtung drehte das Band die Münzen, die auf einer Seite die
Adleraugen der Aufseher passierten, auf die andere Seite,
10 worauf sie noch ein zweites Mal die Prüfung bestehen
mußten. Von Zeit zu Zeit griffen die Aufseher in das Band
und nahmen eine der Münzen heraus. Diese warfen sie dann
in ein neben ihnen stehendes Schälchen. Da gab es verbogene
Stücke; solche, die Sprünge oder Spalten hatten; andere,
15 die nur einseitig oder doppelt geprägt waren. Sie alle wan-
derten in das Schälchen. Es war der ‚Ausschuß,‘ der wieder
zurück in den Schmelzofen geworfen wurde, um zu neuen
Pennies umgeprägt zu werden. Niemals durfte ein solcher
Penny die Königliche Münze verlassen und in Umlauf ge-
20 setzt werden.

Infolge der genauen Arbeit der Aufseher waren Prägungsfehler sehr selten. Mein Onkel fand aber doch einige
Stücke, die sie übersehen hatten, und suchte unermüdlich
weiter.

25 An jenem Wintermorgen durchforschte er, wie gewöhnlich, sein Pennyhäufchen. Plötzlich stieß er einen Schrei aus
und sprang so unachtsam auf, daß die untersuchten und noch
nicht untersuchten Münzen durcheinanderfielen — das
Ärgste, was ihm geschehen konnte. Aber heute achtete er
30 nicht darauf, schwenkte im Triumph einen Penny und eilte
zu seinem Freund Douglas Archibald, der gleichfalls

---

[1] **so.** Not *so manches,* but *fand er so* ("thus").

Münzensammler war. ‚Sieh dir das Ding an, Doug,‘ sagte
mein Onkel und reichte dem Freund den Penny.

Douglas Archibald setzte seine Brille auf, nahm die Lupe
und drehte den Penny hin und her. Der glückliche Finder
freute sich um so mehr, je länger Douglas untersuchte und 5
nichts fand.

‚Ich gebe es auf,‘ sagte Douglas Archibald schließlich
sehr beschämt.

‚Es ist kein gewöhnlicher Fehler,‘ lächelte Sir John
stolz. ‚Nichts zu kurz oder zu lang. Sieh dir die Jahreszahl 10
an!‘

Douglas Archibald warf einen Blick auf die Münze, dann
erhob er sich feierlich. Sie trug die Jahreszahl 1908. Er war
sprachlos. Aber Sir John war um so gesprächiger. ‚Eine
Seltenheit,‘ rief er. ‚Ein Unikum! So etwas war in der Ge- 15
schichte der Münzensammler noch nie da! Durch ein Ver-
sehen ist eine Acht in den Prägestock gekommen statt der
Sechs . . .‘

Douglas Archibald erholte sich von seinem Erstaunen.
‚Ein Penny mit dem Datum 1908, der jetzt, im Jahre 1906 in 20
Umlauf ist . . .‘ murmelte er. ‚John, das ist der größte
Fund deines Lebens . . .‘

Für einige Monate war Sir John das gefeiertste Mitglied
des Vereines der Münzensammler. Er wurde beglück-
wünscht und beneidet, und viele versuchten, die Münze 25
durch Kauf oder Tausch zu erwerben. Aber er schlug alle
Angebote aus. Vielleicht scheint es manchem merkwürdig,
daß ein besonders eifriger Sammler zehn blanke Goldstücke
für den Kupferpenny geben wollte. Noch merkwürdiger
vielleicht, mein Onkel nahm das Angebot nicht an. Er trug 30
die geliebte Münze immer bei sich und ließ sie von jedem,

der wollte, bewundern. Sir John wurde nicht müde, die Geschichte der Entdeckung zu erzählen und Lob für sein scharfes Auge anzuhören.

So verging ein Jahr. Angebote wurden nicht mehr ge-
5 macht. Jeder wußte, daß der Penny unverkäuflich war. Mein Onkel war daher sehr erstaunt, als ihm eines Tages ein junger Sammler fünf Goldstücke anbot. Sir John lächelte. ‚Sie wissen doch — ich verkaufe ihn nicht. Übrigens hat man mir bereits das Doppelte angeboten.‘
10 ‚Das war vor einem Jahr,‘ erwiderte der junge Mann. ‚Jetzt ist er das nicht mehr wert. In einigen Monaten wird sein Datum nichts Besonderes sein: 1908.‘

Sir John erschrak. Daran wollte er nie denken. Er wollte nicht daran erinnert werden, daß dieser Penny ein kurzes,
15 von vornherein festgesetztes Leben lebte. Er wußte, daß diese seltene Münze eines Tages keine seltene Münze mehr sein konnte, sondern ein gewöhnlicher Penny, der Tausende von Brüdern hatte. Nun erinnerte ihn dieser rücksichtslose Mann daran. Aber Sir John lehnte wieder das Angebot ab und
20 behielt seine Münze.

Der alte Mann liebte seinen kleinen Penny. Dieser war ihm wie ein lebender Mensch, wie ein kleiner Sohn, den er hegte, und auf den er stolz war. Sir Johns Herz wurde schwer, wenn er an die unausweichliche Todesstunde dieses
25 Sohnes dachte. Er hängte einen Kalender über seinen Schreibtisch und riß täglich ein Blatt ab. Die Tage vergingen.

Nun war es bereits Dezember. Weihnachten verging sehr still. Sir John ging nicht mehr aus. Am Silvesterabend legte er den Penny vor sich auf den Schreibtisch und erwartete mit
30 ihm das Neue Jahr. Um Mitternacht nahm er Abschied. Er streichelte ihn noch einmal und dann, wie man einen Toten

begräbt, legte er ein kleines Stück schwarzen Samt über ihn, als die Uhr zwölf schlug.

Er besuchte nachher nicht mehr den ‚Verein der Münzensammler.' Vom Penny sprach er niemals. Sir John ging nie mehr in die Bank, das tägliche Goldstück zu wechseln. ‚Vielleicht ist der alte Herr gestorben,' dachte der Kassier. Einige Monate später starb Sir John wirklich. . . ."

Der junge Philipps schwieg. Er sah vor sich hin in den Gasofen. Es war nun bereits dunkel in der kleinen Stube. Der Besucher blickte gleichfalls in die Flämmchen. „Zur Zeit Sir Johns gab es wohl keine solchen modernen Automaten," dachte er. „Bloß offene Kaminfeuer . . ."

Die Flämmchen begannen plötzlich zu flackern, zuckten unruhig, wurden kleiner, noch kleiner und drohten auszugehen.

„Ach, entschuldigen Sie," sagte Philipps, „die Ration ist verbraucht." Er suchte in allen Taschen. „Es ist doch zu ärgerlich . . . ich habe keinen einzigen Penny bei mir . . . wo ist denn nur . . ."

Das Flämmchen lag in den letzten Zügen. Philipps griff nach dem kleinen Samtstück und nahm den Penny. Er hielt ihn überlegend in der Hand und zuckte dann mit den Achseln. „Wir leben in einer anderen Zeit," sagte er, wie entschuldigend zu seinem Gast, als er den Penny in den Schlitz des Automaten warf . . .

Einer von den Millionen Pennies, die heute noch von Hand zu Hand gehen, ist jener seltene. Niemand weiß es. Manches, was einmal Aufsehen erregte und wertvoll war, wird heute nicht beachtet — es ist gangbare Münze geworden.

ÜBUNGEN

1. *Die siebzehn Kamele*

A. Redewendungen

1. Der Vater schrieb sein Testament auf ein Pergament.
2. Kurz darauf starb er.
3. Sein Wunsch erfüllte sich nicht.
4. Ein Derwisch kam dahergeritten.
5. Die Söhne baten ihn um Hilfe.
6. Ich zerbreche mir den Kopf darüber.

B. Übersetzen Sie

1. This story comes from (has its home in) Arabia.
2. I heard it in this version many years ago.
3. The fortune of this rich man consisted of camels.
4. The learned man, to whom the father went, could read and write.
5. The father made his testament and died shortly thereafter.
6. The wish of the father was not fulfilled, for the sons quarreled.
7. A Dervish, who came riding along, asked, "Why are you quarreling?"

2. *Der Handschuh*

A. Redewendungen

1. Der Beruf eines Detektivs ist weder wunderbar noch romantisch.
2. Fritz fand eines Tages einen Handschuh.
3. Er besuchte seinen im gleichen Hause wohnenden Freund.
4. Ich möchte gerne wissen, wer ihn verloren hat.
5. Du brauchst (es) mir nicht zu glauben.

B. Fragen

1. Was fand Fritz?
2. Wen besuchte er sofort?
3. Was sollte sein Freund, der Detektiv Thomas, aus diesem Handschuh erkennen?
4. Worüber hatte Fritz schon eine bestimmte Ansicht?
5. Wohin hielt Thomas den Handschuh?
6. Welche alte Gewohnheit hatte Thomas?

C. Übersetzen Sie

1. When Fritz found the glove, he at once visited his old friend Thomas.
2. Thomas asked, "Why all this? Has a murder happened?"
3. Tell me to what conclusion you come, and I will tell you my view about it.
4. I am really telling the truth, but you don't need to believe me.

3. *Es gibt Streit*

A. Redewendungen

1. Sie beugte sich über den Tisch.
2. Er war erst zwei Wochen mit ihr verheiratet.
3. Mir macht das gar nichts (aus).
4. Er ging mit seiner Freundin ins Kino.
5. Ich will nicht mit dir darüber streiten.

B. Fragen

1. Warum war Lizzy aufgeregt?
2. Wie lange waren Oskar und Lizzy verheiratet?
3. Warum glaubt Lizzy, daß es Streit gibt (*or* geben wird)?
4. Woran sind oft die glücklichsten Ehen gescheitert?
5. Wohin war Oskar gestern abend gegangen?
6. Was tat Oskar mit seiner Faust, als er von seinem Sitz aufsprang?
7. Hatte Oskar wirklich Salz auf das Tischtuch verschüttet?

4. *Der Empfehlungsbrief*

A. Redewendungen

1. Er führte meistens aus, was er sich in den Kopf setzte.
2. Er wollte bei der Firma N. angestellt werden.
3. Ich möchte Herrn Direktor N. sprechen.
4. Er klopfte an die Tür seines Chefs.
5. Er saß dem Direktor gegenüber.

B. Fragen

1. Was führte Postl meistens aus?
2. Warum ging er zum Handelsminister?
3. War Postl mit diesem gut bekannt?

4. Was entdeckte Postl, nachdem er Direktor des Geschäfts wurde?
5. Lebte der Handelsminister noch?
6. Was bemerkte Postl, als er den Brief herumdrehte?
7. Worauf kommt es im Leben oft an?

C. Ergänzen Sie

1. Weil Postl ein —— —— Mann war, führte er —— aus, was er sich —— —— —— setzte.
2. Er wollte nun eine —— bei der —— Niederhauser ——.
3. Er ging zu dem ——, weil er ein— gut— —— von ein— hochgestellt— Person haben wollte.
4. Der Minister hatte ihm dies— ——brief vor —— —— gegeben.

5. *Brav, Liselotte!*

A. Redewendungen

1. Das Mädchen blickt starr auf das Denkmal.
2. Es ist nichts zu sehen.
3. Die dicke Frau bleibt auch stehen.
4. Antworte dem fremden Herrn nicht!
5. Alle möchten gern wissen, was eigentlich geschehen ist.

B. Fragen

1. Welche Hausaufgabe bekamen die Schulkinder?
2. Warum gingen die meisten Kinder nicht zu dem Denkmal?
3. Warum antwortete Liselotte nicht, als ein Herr sie fragte, was sie dort mache?
4. Was geschah, als Liselotte starr auf das Denkmal blickte?
5. Gelang es der Polizei, die Menschenmenge zu vertreiben?

C. Übersetzen Sie

1. Liselotte is a little girl with dark hair.
2. Because she did not stir and looked fixedly at the monument, a man asked her, "What are you doing here?"
3. She did not answer him, because he was a strange man.
4. They all want to know what has happened.
5. The people swarm up from all sides.
6. Only Liselotte's description turned out good.

6. *Einkauf mit Hindernissen*

A. Redewendungen

1. Sie betrat das Warenhaus.
2. Womit kann ich Ihnen dienen?
3. Das Geschenk soll dem Jungen Freude bereiten.
4. Ich habe mir die Sache überlegt.
5. Die Dame war damit einverstanden.
6. „Es geht doch nicht," sagte sie.

B. Fragen

1. Warum betrat die Dame das Warenhaus?
2. Für wen wollte sie das Geschenk kaufen?
3. Warum ist eine Kinderflöte ein gutes Geschenk?
4. Wollte der Verkäufer die Flöte zurücknehmen?
5. Welchen Vorschlag machte dann der Verkäufer?
6. Mit welchem Geschenk entfernte sich schließlich die junge Dame?
7. Warum mußte der Verkäufer sie einholen?
8. Was rief der Verkäufer, als seine Geduld zu Ende war?
9. Wollte der Verkäufer seine Bemerkung zurücknehmen?

7. *Tante Alice steckt im Lift*

A. Redewendungen

1. Die Angelegenheit ist erledigt.
2. Es mußte Abhilfe geschaffen werden.
3. Was fällt dir ein?
4. Kurt traf manchmal den Nagel auf den Kopf.
5. Er wird das Geschäft schon geschlossen haben.
6. Das hat Zeit.
7. Wir wissen uns keinen Rat.

B. Setzen Sie anstatt des Striches die richtige Form des Pronomens der, die, das, oder welcher, welche, welches.

1. Es ist die grauhaarige Dame, —— Stimme wir hören.

2. Der Lift, —— in die Mauer gebaut war, war nicht sichtbar.
3. Er rüttelte an der Tür, auf —— „Hagenbucher" in großen Buchstaben stand.
4. Er trat an die Eisentür, durch —— er hindurch rufen konnte.
5. Die Mieter, —— Zahl sich vermehrt hatte, begannen sich für den Streit der Buben zu interessieren.
6. Der Polizist, —— Idee gut war, wandte sich der Eisentür zu.
7. Die Tante, von —— Hand die rosarote Soße tropfte, hatte ein Gefrorenes mitgebracht.

C. Fragen
1. Wie war Tante Alice in technischen Dingen?
2. Was hatte sie während der Fahrt getan?
3. Fuhr die Tante oft im Lift?
4. Warum war sie diesmal überhaupt im Lift gefahren?

8. *Wenn einer eine Reise tut . . .*

A. Redewendungen
1. Sie erzählten sich ihre Erlebnisse gegenseitig.
2. Es tut auch nichts, wenn sie Geographie, Sitten und Gebräuche durcheinander mischen.
3. Sie saßen bei einem Glas Bier.
4. Ich bin um meine Handtasche gekommen.
5. Ich war gerade im Begriffe, Ägypten zu verlassen.
6. Ich erwische ihn schon.
7. Er rannte, so rasch er (nur) konnte, dem Dieb nach.
8. Genau dasselbe war ihm passiert.

B. Übersetzen Sie
1. The men had only seen a couple of foreign films and had read a couple of guidebooks.
2. They sat once in a tavern over a glass of beer.
3. The Kaiser had presented this handbag to me in reward for a small service.
4. I had already gone on board.
5. He ran as fast as he could after the thief.
6. The native kangaroo carried out his droll leaps in the garden.

7. Because he had brought back my handbag, I gave the servant a nice tip.
8. Not until much later did I change my opinion.

9. *Der geheimnisvolle Koffer*

A. Redewendungen
1. In solchen Dingen wußte er Bescheid.
2. Er achtete einige Sekunden nicht auf seinen Koffer.
3. Johann freute sich bereits auf den wertvollen Inhalt.
4. Auf diese Weise wollte er den Koffer loswerden.
5. Seit zwei Tagen machte er der Amerikanerin den Hof.

B. Ergänzen Sie
1. Es war ein ——, aber sehr vornehm— schwarz— Lederkoffer.
2. In dies— klein—, vornehm— schwarz— Lederkoffer waren viel— wunderbar— Sachen.
3. Der vornehm— Herr stellte d— groß—, schwarz— Lederkoffer neben —— Portier.
4. Der Herr achtete einig— Sekund— nicht darauf, weil er gerade ein— alt— Dame Auskünfte geben mußte.
5. Bei dies— schlecht— Handel war er froh, auf dies— Weise d— gestohlen— Koffer loszuwerden.

C. Fragen
1. Was glaubte Johann in dem Koffer zu finden?
2. Warum schloß Johann, daß der Inhalt wertvoll sein mußte?
3. Wie konnte Johann den Koffer unbemerkt ergreifen?
4. Warum ließ er den Koffer im Auto?
5. Erklären Sie den sonderbaren Inhalt des Koffers.

10. *Der Mann mit dem Gummiball*

A. Redewendungen
1. Es gab zwei Möglichkeiten, 1) entweder . . . , 2) oder . . .
2. Die Tür öffnete sich.
3. Friedrich steckte ihm ein Taschentuch in den Mund.
4. Er steckte den ganzen Schmuck ein.
5. Er streckte die Hände in die Höhe.

6. Er konnte die Stimme immer noch nicht erklären.
7. Wir suchen ihn schon lange.

B. Übersetzen Sie

1. If he saw an open window, he threw a rubber ball in.
2. If a scolding figure appeared, he excused himself.
3. If no one appeared, he climbed in.
4. No human being was to be seen far and wide.
5. Friedrich stuck a handkerchief in the man's mouth.
6. He did not hurry particularly.
7. Friedrich had to ring (the bell) himself and call the police.
8. He stood with his hands in the air.

11. *Tante Bertas Besuch*

A. Redewendungen

1. Vater setzte seine Brille auf.
2. Sie kommt Freitag zu Besuch.
3. Sie besuchte stets die Verwandten für längere Zeit.
4. Man konnte schwer etwas dagegen tun.
5. Die Hunde kamen herangesprungen.
6. Mir scheint, wir haben eine Schlange im Hause!
7. Das ganze Haus ist voller gräßlicher Mäuse.

B. Übersetzen Sie

1. When the postman brought the thick letter, the father opened it.
2. Aunt Bertha will live with us for some days.
3. She did not, unfortunately, conduct herself as a guest.
4. The parents, like the children, were little pleased at the news.
5. Aunt Bertha arrived on Friday with seventeen suitcases.
6. As soon as I let the snake out, Aunty will leave the house horrified.
7. When the aunt saw the frightful mouse, she sprang onto the table.
8. Next morning she left them with the first train, and never came back.

12. *Der schwarze Teufel*

A. Redewendungen

1. Die Feier fand im Garten statt.

2. Es fehlte ihm der kleine Finger der rechten Hand.
3. Grete machte sich auf die Suche nach den anderen Kindern.
4. Dann gab es Erfrischungen.
5. Vor Schreck blieb ihm der Mund offen.
6. Der Schuldige meldet sich immer noch nicht.
7. Das werdet ihr schon sehen.
8. Die Kinder zogen an dem Tisch vorbei.

B. Fragen

1. Wessen Geburtstag war es?
2. Wo fand die Feier statt?
3. Was spielten die Kinder im Garten?
4. Wie spielt man das?
5. Was geschah, nachdem die Kinder zwei Stunden lang gespielt hatten?
6. Über welches Unglück war Onkel Paul entsetzt?
7. Was wollte Onkel Paul tun, wenn sich der Übeltäter nicht freiwillig meldete?
8. Wie war das Wohnzimmer, als Onkel Paul die Kinder ins Haus rief?
9. Was für Augen hatte der Schwarze Teufel?
10. Was taten die Kinder, eines nach dem anderen?
11. Wie wußte Onkel Paul, daß Leopold die Figur zerbrochen hatte?

13. *Warm und kalt*

A. Redewendungen

1. Der Zug blieb stehen.
2. Bichler rieb sich die Beine. *(protesting his innocence)*
3. Knoll antwortete, indem er sich unschuldig stellte.
4. Ich bin nämlich erkältet.
5. Sie fielen auf den Fußboden.
6. Sie landeten auf dem Fußboden.

B. Schreiben Sie in allen sechs Zeitformen

1. Der Koffer (herabgleiten) dann.
2. Eine Weile (ansehen) sie sich stumm.
3. Knoll (anzünden) sich seine Zigarre.

4. „Ich bin ein höflicher Mann," (hinzusetzen) er.
5. Er (aufmachen) das Fenster wieder.

C. Übersetzen Sie

1. When the train stopped, Herr Knoll got in.
2. The suitcase fell on Bichler's feet.
3. Bichler rubbed his legs.
4. Knoll took a cigar from his pocket.
5. I shall smoke, if you have nothing against it.
6. Bichler growled, while he threw the newspaper on the floor and opened the window.
7. He stood up and put on his overcoat.
8. Neither wanted to let the other go ahead.
9. The conductor called, "Has an accident happened?"
10. Men always find a reason to fight.

14 *Wie du mir . . .*

A. Redewendungen

1. Ich muß mich rasieren lassen.
2. Er sah sich nach einem Frisierladen um.
3. Er hielt plötzlich inne.
4. Er brachte den Brief selbst zur Post.
5. Ich habe zu tun.
6. Ich muß Sie darauf aufmerksam machen!

B. Übersetzen Sie

1. The post-official sold stamps.
2. He looked at the clock; there was not much time.
3. When Erich stepped out onto the street, he couldn't see any barber-shop.
4. The barber reached for a bottle.
5. Please just shave me now!
6. Turner appeared in the post office to buy a stamp.
7. I will teach you a lesson.
8. I never write letters abroad.
9. I want to save you time.

C. Fragen
1. Wann mußte Erich bei seinen Freunden sein?
2. Was wollte er im Friseurladen?
3. Wie verließ er den Laden?
4. Warum ging Turner auf das Postamt?
5. An welches Sprichwort dachte Erich?
6. Was wollte der Postbeamte dem Friseur alles verkaufen?
7. Was versprach Turner, als Erich ihm schließlich die gewünschte Marke verkaufte?

15. *Onkel Alois kauft ein Klavier*

A. Redewendungen
1. Er war bei jedem Spaß dabei.
2. Es gelang ihnen, genügend Platz zu schaffen.
3. Er spielte lieber Klavier als alles andere.
4. Er hatte eine Begabung zum Klavierspielen.
5. Er hielt seine Worte für einen Scherz.

B. Übersetzen Sie
Uncle Alois had no real nephews and nieces, but his home was always full of children. He let the children romp about in his rooms. He could play the piano wonderfully, but he did not like it when the children played on his piano; then he held his ears shut.

Little Berthold, the son of Lawyer Siebenschein, was gifted. He liked to play the piano better than everything else. He went daily to Uncle Alois and played for hours on his piano. Uncle Alois went to the father and asked "Why don't you buy your boy a piano?" The lawyer was rich, but he loved his money. Uncle Alois bought the child a piano, but it was a little piano. A week later the father bought his son a real piano.

16. *Der Löwe Nero*

A. Redewendungen
1. Nero gehorcht jedem Befehl.
2. Er war aber heute schlechter Laune.
3. Er kümmerte sich nicht um den Befehl.

4. Herr Hildebrand bittet um einen zahmeren Löwen.
5. Klappermann verkaufte ihn um einen billigen Preis.
6. Er war froh, den Löwen loszuwerden.

B. Verbinden Sie die zwei Sätze

(z. B.: 1. Als er die Elefanten sah, tanzten sie auf zwei Beinen.

1. (als) Er sah die Elefanten. Sie tanzten auf zwei Beinen.
2. (weil) Die Clowns waren lustig. Man mußte lachen.
3. (obgleich) Er machte alle Kunststücke. Nero war sehr wild.
4. (damit) Ein Scheinwerfer wurde auf den Löwen gerichtet. Alle konnten ihn bewundern.
5. (obwohl) Der Zirkus „Wunderschau" hatte ebenso schöne Tiere. Er war aber nicht so gut besucht.
6. (und) Nero kümmerte sich nicht um den Befehl. Er kratzte sich die Ohren.
7. (aber) Er wollte fliehen. Es war zu spät.
8. (daß) Er freute sich sehr. Die Leute kamen nun immer in seinen Zirkus.

C. Fragen

1. Welche Tiere gab es im Zirkus „Wunderschau"?
2. Was war Neros Hauptkunststück?
3. Was für eine Uniform hatte Herr Hildebrand?
4. Wann waren alle mäuschenstill?
5. Warum schlug Herr Hildebrand Nero mit der Peitsche ins Gesicht?

17. *Der Komet*

A. Redewendungen

1. Er war von Natur aus ziemlich still.
2. Der alte Müller war in der Welt herumgekommen.
3. Eine schöne Dame lächelt ihm zu.
4. Die Männer wandten sich wieder ihrer Debatte zu.
5. Schlag' dir das aus dem Kopf!

B. Fragen

1. Welche fremden Sprachen kannte Josua?
2. Wie hatte der alte Müller viel Erfahrung gewonnen?

3. Wohin gelangte Josua eines Abends?
4. Worum handelte es sich in der Debatte?
5. Was hatte die Firma Keller dem Bürgermeister versprochen?
6. Was tat Josua, als man ihn mit Fragen bestürmte?
7. Was brachten Josuas einfache Bemerkungen ans Tageslicht?
8. Was mußte der Bürgermeister tun?

C. **Bilden Sie Sätze mit den folgenden Redewendungen**
1. in die Welt hinausziehen.
2. auf die Schulter klopfen.
3. den Mund halten.
4. ins fremde Land kommen.
5. sich bescheiden setzen.
6. eine Rede halten.
7. ans Tageslicht bringen.
8. zu Boden werfen.

18. *Der Musterknabe*

A. **Redewendungen**
1. Otto trat an ihn heran.
2. Ich muß Sie sprechen!
3. Ich wollte mal fragen, ob Sie was dagegen haben.
4. Dieser Beweis gelingt ihm.
5. Ich werde überhaupt keine Gesellschaft haben.
6. Er ist ein freies Leben gewohnt.
7. Es gilt!

B. **Schreiben Sie jeden Satz hinter: a) Er (oder sie) wünscht,
. . . , b) Er (oder sie) will . . .**
Zum Beispiel: *Er wünscht, an ihn heranzutreten.*
            Er will an ihn herantreten.
1. Otto tritt an ihn heran.
2. Er wird nicht beim Golfspiel gestört.
3. Sie setzt alles durch, was sie sich in den Kopf gesetzt hat.
4. Er lebt ordentlich und anständig.
5. Er überwacht alle seine Handlungen.
6. Er geht gar nicht weg.

C. Fragen

1. Was liebte Herr Schimmerling nicht?
2. Was wollte ihn Otto fragen?
3. Was für ein Mensch war Otto?
4. Liebte Schimmerling sein einziges Kind?
5. Was tut Otto, wenn er etwas verspricht?
6. Verspricht Schimmerling dem jungen Mann etwas, wenn dieser die Probe besteht?
7. Wieso hat der Richter keinen Spaß verstanden?

19. *Der Mann mit dem Muttermal*

A. Redewendungen

1. Das Schlußkapitel ist am lächerlichsten.
2. Sind Sie dem unrasierten Mann begegnet?
3. Er näherte sich dem Schreibtisch.
4. Da öffnete sich die Tür.
5. Er steckte den Revolver zu sich.
6. Er hatte soeben Mahlzeit gehalten.
7. Er ging zum Telefon und rief den Autor an.

B. Fragen

1. Wer war Georg Ritter?
2. Was wollte der Verleger Hesterburg nicht tun?
3. Wo fand Hesterburg geheimnisvolle Zettel?
4. Warum war der Elektriker gekommen?
5. Was stand auf dem Zettel im Käfig des Kanarienvogels?
6. Wen versammelte Hesterburg?
7. Was fand Hesterburg, als er ins Büro ging?

C. Übersetzen Sie

1. The publisher Hesterburg didn't want to print Ritter's novel.
2. What you write can never occur in life.
3. He found a slip of paper on his pillow, in the soap, in his office, in the keyhole, and in the cage of the canary.
4. The electrician was ordered, because the wiring was defective.
5. While the entire personnel was gathered in the house, the burglar Siebentot went into the office and opened the safe.

20. *Ein echter Rosatti*

A. Redewendungen

1. Der Wagen sauste die Straße entlang.
2. Pitt war der einzige Mann, der in dieser Gegend zu finden war.
3. Der Alte lief so rasch er konnte.
4. Pitt machte sich an die Arbeit.
5. Es wird doch hier etwas geben, das vier Räder hat!
6. Dieses Auto steht schon vierzig Jahre in meinem Schuppen.
7. Die Möglichkeit interessierte ihn als alten Fachmann.

B. Übersetzen Sie

1. Herbert drove with great speed.
2. He started out at once to the village.
3. He could not explain what had happened.
4. This old man was the sole mechanic who was to be found in this vicinity.
5. Pitt went to work, while Herbert waited impatiently.
6. The axle-break could not be repaired.
7. This old auto has been standing here for forty years.
8. Herbert was near to laughing aloud.
9. They gave him a new Rosatti of the latest model for it.

21. *Der Kassier*

A. Redewendungen

1. Seit fünfundzwanzig Jahren war Krautstoffel Kassier.
2. Etwas war los mit Krautstoffel.
3. Er konnte es gar nicht erwarten, rasch nach Hause zu kommen.
4. Die Familie verbrachte einen vergnügten Abend.
5. Hoffentlich ist nichts geschehen.

B. Fragen

1. Seit wann war Krautstoffel Angestellter der Bank?
2. Warum wollte der Kassier an diesem Tage rasch nach Hause kommen?
3. Was wollte der Mann mit dem dicken Bündel Banknoten?
4. Was tat der geistesabwesende Kassier mit dem Geld?

5. Wie träumte Krautstoffel die Erlebnisse des Tages?
6. Wohin fuhr er mit der Straßenbahn?
7. Was stand in der Zeitung?
8. Wann öffnete die Bank?
9. Hatten die Einbrecher Glück?

C. Übersetzen Sie

1. The cashier never made a mistake.
2. The bank closed at five o'clock.
3. Kindly come somewhat earlier the next time!
4. He left the bank as fast as he could.
5. I have really forgotten to lock the money up.
6. He dressed at seven o'clock.
7. The burglars have had bad luck.

22. *Der größte Fund seines Lebens*

A. Redewendungen

1. Treten Sie bitte näher!
2. Er deutete auf einen Kasten.
3. Ich habe wenig Verständnis dafür.
4. Er verstand den Wert der vor ihm liegenden Stücke.
5. Wir haben große Achtung vor ihm.
6. Er wollte nicht daran erinnert werden.

B. Fragen

1. Was stand auf der Tafel an der Tür?
2. Wohin führte der junge Mann seinen Gast?
3. Was wollte Philipps verkaufen?
4. Warum wollte er die Münzensammlung verkaufen?
5. Was verstand der Gast als Kenner?
6. Was lag unter einem Stück Samt?
7. Welchen Prägungsfehler zeigte dieser Penny?
8. Woran wollte Sir John nicht erinnert werden?
9. Wann wurde Sir Johns Herz schwer?
10. Was tat Sir John am Silvesterabend, als die Uhr zwölf schlug?
11. Verkaufte der junge Philipps den Penny?

WORTSCHATZ

The accent, unless otherwise indicated, falls upon the first syllable.
Where accent is indicated, a superscript vertical sign ['] is placed imme-
diately in front of the syllable bearing the main stress; the sign [,]
before a syllable indicates secondary stress.* It stands very low and is used
only where doubt might be anticipated.

Separate prefixes are hyphenated.

The vowel changes of strong verbs are indicated thus: (ä; i, a), *i.e.*, fängt;
fing, gefangen.

As far as is practicable without upsetting the principle of alphabetic arrangement, words have been placed in family groups. Where both verb and
noun occur in such groups, the verb is commonly put first, as the more
general word form.

ab-beißen (i, i) bite off

der Abend (–s, –e) evening; am —
in the evening; eines —s one evening; das Abendessen (–s, –)
dinner

ab-brechen (i; a, o) break off

aber, but, however; abergläubisch
superstitious

ab-drehen turn off

ab-fahren (ä; u, a) (sein) leave;
sail (away)

abgemacht! agreed! it is a bargain!

ab-halten (ä; ie, a) hold (restrain)
from

ab-heben (o, o) lift off

die Abhilfe (–, –n) relief

ab-lehnen decline

ab-lenken lead away, distract

ab-reißen (i, i) tear off

der Abschied (–s, –e) leave, depart-
ure; — nehmen take one's leave

ab-schneiden (schnitt –, –geschnitten) cut off

abso'lut absolute

ab-sperren (gegen) shut off (from),
barricade (against)

ab-spielen: sich — take place

ab-steigen (ie, ie) alight, put up (at
a hotel)

ab-stellen turn off

ab-teilen partition off; das Abteil
(–s, –e) coupe, compartment

die Abwechslung (–, –en) change;
variety

ab-wiegen (o, o) weigh

ab-winken beckon to desist

ach O! alas!; — so! oh so! so that's
it!; — was! by no means! stuff
and nonsense!

die Achse (–, –n) axle; der Achsen-
brüch (–s, ˣe) axle-break

die Achsel (–, –n) shoulder; mit
den —n zucken shrug one's
shoulders

die Acht (–) eight; achtjährig eight
year old; achtzehn eighteen

achten (auf) pay heed (attention)
(to); die Acht (–) heed, care;

* These symbols are employed by the *Association phonétique interna-
tionale* and by Cassell's *New German Dictionary. Cf.* Clair Hayden Bell,
"Accent Marking in Text Vocabularies," *Mod. Lang. Journal* (March,
1940), pp. 443–445.

sich in — nehmen take care, beware; **acht-geben** (i; a, e) pay attention, watch out; die **Achtung** (–) attention; respect; — **vor** respect, regard, for

ächzen groan

das **Adlerauge** (–s, –n) eagle eye

der **Admi'ral** (–s, –e) admiral (butterfly)

die **A'dresse** (–, –n) address

Afrika (–s) (*neut.*) Africa

Ä'gypten (–s) (*neut.*) Egypt

ahnen suspect, surmise; die **Ahnung** (–, –en) presentiment, notion, idea, surmisal; **ahnungsvoll** full of presentiment

ähnlich similar

die **A'larmglocke** (–, –n) alarm bell

die **A'larmpfeife** (–, –n) police whistle

albern silly, absurd

der **Alkohol** (–s, –e) alcohol

all- (–er, –e, –es) all; **–es** everything; **aller** (*gen. pl.*); **'aller'dings** to be sure, of course; **'aller'hand** all kinds (sorts) of; **'aller'lei** *synonym for* **allerhand**; **allgemein** general

als than, as, such as; — **ob** (**wenn**) as if, as though; — **sonst** than usual

also so, thus, consequently; **na —!** well then! what did I tell you! — **gut** all right (very well) then

alt, old; der **Alte** old man; **älterer** older; rather old; die **Altersstufe** (–, –n) gradation(s) in age; **ältlich** elderly

A'merika (–s) (*neut.*) America; der **Ameri'kaner** (–s, –) American; die **Ameri'kanerin** (–, .. innen) American girl

das **Amt** (–es, ˝er) office

an at, by, to, on, *etc.;* — **der Nase** by the nose; **am besten** best

die **Ana'konda** (–, –s) anaconda (*snake*)

an-bieten (o, o) offer

an-blicken look at; der **Anblick** (–s, –e) sight

an-blinzeln blink at

an-brechen (i; a, o) break, dawn; break into, start to use up

an-bringen (brachte –, –gebracht) place, locate

ander- other; **das ist etwas —es** that is different, is something else; **ein anderes Mal** another time; once more; **ändern (an)** change (with, in, about, relative to)

an-drehen turn on

an-drohen threaten; **angedroht** threatened

anerkennend in acknowledgment (appreciation)

an-fangen (ä; i, a) begin, do; der **Anfang** (–s, ˝e) beginning; **anfangs** at first

an-fassen take hold of

der **Anführer** (–s, –) leader

an-füllen fill up; **angefüllt** crammed (full)

an-geben (i; a, e) state, report; **angeblich** alleged

das **Angebot** (–s, –e) offer, bid

angebracht *see* **anbringen**

die **Angelegenheit** (–, –en) affair, matter

angenehm pleasant

der **Angestellte** (–n, –n) employee

die **Angst** (–, ˝e) anxiety, fear; — **bekommen** become anxious (afraid); **ängstlich** anxious, fearful, afraid

an-halten (ä; ie, a) stop; hold

an-hören listen to

der **Ankauf** (–s, ˝e) purchase

der **Ankleideraum** (–s, ˝e) dressing-room

an-kommen (a, o) (**sein**) arrive;

approach, come near; **auf etwas
— depend** upon, matter; **an-
kündigen** announce; **angekün-
digt** (pre–) announced

die **Anmerkung** (–, –en) note

an-nehmen (**nimmt –; nahm –,
–genommen**) accept; assume,
take for granted

an-rufen (ie, u) call (to)

an-rühren touch

an-sehen (ie; a, e) regard, (take a)
look at; **sich — look at each
other; sich dir — take a look at
(for yourself); die Ansicht** (–,
–en) view (**über** about)

anständig decent, proper

an-starren stare at

anstatt instead (in place) of

an-stellen contrive; do (cause)
(mischief); place, appoint; der
Angestellte (–n, –n) employee

an-strengen exert; **anstrengend**
strenuous, strained; die **Anstrengung** (–, –en) exertion

an-treffen (i; a, o) meet, come
upon

an-treten (**tritt –; a, e**) enter upon,
begin; **den Rückzug — retreat**

antworten (*dat.*) answer; die **Antwort** (–, –en) answer

an-wachsen (ä; ū, a) grow fast (to)

an-wenden (**wandte –, –gewandt**)
apply, make use of

anwesend (who were) present

die **Anzahl** (–) number

das **Anzeichen** (–s, –) indication,
sign

an-ziehen (**zog –, –gezogen**) pull
(put) on; **sich — dress oneself;**
der **Anzug** (–s, ̎e) suit

an-zünden kindle, light (up)

der **Apfelsaft** (–s, ̎e) apple juice,
(sweet) cider

der **Apo'theker** (–s, –) pharmacist

der **Appa'rat** (–s, ̎e) apparatus

das **A'quarium** (–s, –ien) aquarium

A'rabien (*neut.*) Arabia; **a'rabisch**
Arabian

arbeiten work; die **Arbeit** (–, –en)
work; **an eine — war nicht zu
denken** there was no thinking of
work; **sich an die — machen** set
(go) to work; der **Arbeitsanzug**
(–s, ̎e) working suit (clothes);
der **Arbeitstag** (–es, –e) working
day; das **Arbeitszimmer** (–s, –)
work-room

die **A'rena** (–) arena

ärgern vex; **sich — be vexed** (cross,
angry); **ärgerlich** angry, annoyed, vexed; annoying, irritat-
ing; **immer —er** more and more
annoyed; das **Ärgste** the worst

arm poor; der **Arme** poor one
(thing); **ärmlich** poor; **ein ärm-
liches Zimmer** a poorly (shab-
bily) furnished room

der **Arm** (–es, ̎e) arm; die **Arm-
banduhr** (–, –en) wrist-watch

arran'gieren arrange

die **Art** (–, –en) manner, way, kind

der **Ar'tikel** (–s, –) article; **einen
— bringen** turn in (write, carry)
an article

der **Atem** (–s) breath

die **Atmos'phäre** (–, –n) atmos-
phere

auch also, too; **— er** he too; **— nur**
even; **— wenn** even if

auf on, upon, to; **auf und ab** up and
down, to and fro; **— Kalt stehen**
stand at cold; **— die Post laufen**
run to the post-office

'auf-be,wahren store, preserve

auf-bleiben (ie, ie) stay up

auf-drucken print upon

auf-essen (**ißt –; aß –, –gegessen**)
consume, eat up

auffallend striking, astonishing

auffindbar discoverable, to be found

auf-fressen (frißt –; fraß –, –gefressen) (*of animals*) eat up

auf-geben (i; a, e) give up

aufgeregt excited, stirred up

auf-halten (ä; ie, a) hold, stop. **Aufhalten! Hold them! Stop them!**

auf-hängen hang up

auf-häufen heap up

auf-hören stop, cease

auf-machen open

aufmerksam attentive, alert; darauf — machen call attention to the fact that . . . ; die **Aufmerksamkeit** (–, –en) attentiveness, attention; act of attention, courtesy

aufmunternd encouraging

auf-regen excite, stir up; aufregend stirring, exciting; aufregendst most exciting; die **Aufregung** (–, –en) stir, excitement

auf-schreiben (ie, ie) write down

auf-schreien (ie, ie) cry out, yell

das **Aufsehen** (–s, –) notice, stir, sensation; — erregen arouse attention, create a stir; der **Aufseher** (–s, –) overseer, inspector

auf-setzen put on

auf-sperren open up, unlock

auf-springen (a, u) (sein) spring (jump) up; auf-sprengen cause to spring up; blow up, dynamite (open)

auf-stehen (a, a) (sein) get (stand) up

auf-stellen set up, stand up, line (draw) up, place

auf-tauchen rise to the surface, appear, emerge

auf-treten (tritt –; a, e) (sein) appear, perform; come forward; das **Auftreten** (–s) appearance, performance

auf-tun (tat –, –getan) open

auf-wachen wake up

aufwärts upwards

aufwärts-fahren (ä; u, a) (sein) ascend

der **Aufzug** (–s, "e) elevator

das **Auge** (–s, –n) eye; das **Äuglein** (–s, –) little eye; der **Augenblick** (–s, –e) moment; 'augen'blicklich at present, momentarily; die **Augenbraue** (–, –n) eyebrow

aus out of, from; — etwas schließen infer from

aus-breiten spread out

aus-borgen borrow

die **Ausdauer** (–) perseverance, endurance

aus-fallen (ä; ie, a) (sein) turn out

aus-führen execute, carry out

die **Ausgabe** (–, –n) expenditure, sum paid out

aus-gehen (ging –, –gegangen) (sein) go out; turn out, end

'ausge'zeichnet excellent

aus-halten (ä; ie, a) hold out, stick it out, last, stand

die **Auskunft** (–, "e) information

aus-lachen laugh at

das **Ausland** (–es) abroad, foreign parts; für — (for) foreign (use); ausländisch foreign; die **Auslandsbriefmarke** (–, –n) stamp for foreign postage; die **Auslandsmarke** (–, –n) *see previous entry*

aus-lassen (ä; ie, a) let (leave) out

die **Ausnahme** (–, –n) exception

aus-nützen use, exploit

aus-rufen (ie, u) exclaim

aus-ruhen rest

aus-rutschen slip

aus-schlagen (ä; u, a) knock out; refuse, decline

der **Ausschuß** (–sses, "sse) reject(s)

aus-sehen (ie; a, e) look, appear; das **Aussehen** (–s) appearance außer (*dat.*) besides; except; außerdem besides, in addition; außerhalb (*gen.*) outside of

die Äußerung (–, –en) utterance, declaration

aus-spannen unhitch

aus-sprechen (i; a, o) say, pronounce

die Ausstellung (–, –en) exposition, display

aus-stoßen (ie, o) emit

aus-suchen pick (hunt) out, find

ausverkauft sold out

auswendig by heart, (*of music*) by ear

aus-ziehen (zog –, –gezogen) take off (cloak *etc.*)

das Auto (–s, –s) auto; der Autobus (–busses, –busse) auto bus; der Autofachmann (–s, "er) auto specialist; der Autofahrer (–s, –) autoist, auto driver; der Auto'mat (–en, –en) automatic device (machine), slot machine; auto'matisch automatic; die Autostunde (–, –en) an hour (distant) by auto

der Autor (–s, Au'toren) author

backen (ä; buk, gebacken) bake

der Bahnhof (–s, "e) station

balan'cieren balance

bald soon; — darauf soon after

der Ball (–es, "e) ball

der Band (–es, "e) volume

das Band (–es, "er) ribbon; laufendes — running belt, conveyor

der Bändiger (–s, –) tamer

die Bank (–, –en) bank; die Banknote (–, –en) bank note, paper bill; das Banknotenbündel (–s, –) bundle of bank notes, bills

das Bargeld (–s, –er) cash

der Bart (–es, "e) beard; das Barthaar whisker hair

der Bauch (–es, "e) belly; der Bauchredner (–s, –) ventriloquist; das Bauchweh (–s) stomach-ache

bauen build

der Baum (–es, "e) tree

be'achten heed, (take) notice (of), regard

der Be'amte (–en, –en) clerk, official

be'antragen move, propose

be'aufsichtigen keep under observation

be'dacht sein (auf) be intent (on), give consideration (to)

be'danken; sich — express one's thanks

be'dauern regret, be sorry; der Be'dauernswerte (–en, –en) pitiable one

be'decken cover

be'deuten mean; be'deutend considerable, significant, important; be'deutungsvoll significant

be'dienen wait upon, serve

be'eilen: sich — hurry

be'fehlen order, command; commend; Gott befohlen be commended to God; God be with you; der Be'fehl (–s, –e) command

be'festigen fasten

be'finden (a, u): sich — be (find) oneself

be'freien free

be'freundet (be) a friend of (on friendly terms with)

be'friedigt satisfied

be'gabt gifted; die Be'gabung (–, –en) gift, talent

be'geben (i; a, e) sich — betake oneself, go

be'gegnen (sein, *dat.*) meet

be'geistern fill with enthusiasm, enrapture; be'geistert enthusiastic, exultant

be'ginnen (a, o) begin, start

be'glückwünschen congratulate

be'graben (ä; u, a) bury

der Be'griff: im — sein be on the point of

die Be'haglichkeit (-, -en) comfort

be'halten (ä; ie, a) keep

be'handeln handle, treat; die Be-'handlung (-, -en) treatment

be'haupten assert, claim

be'herrschen control

be'hilflich helpful; — sein be of assistance

bei at, with, at the house of; — sich tragen carry with one, in one's pocket; bei'seite-nehmen (nimmt –; nahm –, –genommen) take aside

beid –; beide both; the two; die beiden the two, both of them

das Bein (-s, -e) leg

'bei'nahe almost, nearly

das Beispiel (-s, -e) example; zum — for example

beißen (i, i) bite; beißfest biteproof

be'kannt (well) known; acquainted; — (wegen) known (for); der Bekannte (-en, -en) acquaintance

be'klagen: sich — complain

be'kommen (a, o) get, receive; develop (illness, etc.)

die Be'kräftigung (-, -en) confirmation; zur — in confirmation

be'lauschen eavesdrop

be'lebt animated; populated

be'lehren instruct

be'leidigen insult

die Be'leuchtung (-, -en) illumination; lights

be'liebt beloved; popular

die Be'lohnung (-, -en) reward, payment; zur — in payment

be'merken notice, observe; remark

die Be'mühung (-, -en) endeavor, effort, exertion

be'nehmen (–nimmt; –nahm, –nommen): sich — conduct oneself

be'neiden envy

be'nützen use

das Ben'zin (-s, -e) benzine, gasoline

be'obachten observe, watch

die Be'ratung (-, -en) counsel

be'reiten prepare; furnish, afford; be'reits already; be'reitwillig readily, willingly

der Berg (-es, -e) mountain; mound

be'richten (über) report (on)

be'rufen: sich — (auf) give as reference

der Be'ruf (-s, -e) occupation

be'ruhigt calmed, with mind set at ease

be'rühmt famous

be'rühren touch

be'saß see besitzen

be'schädigen damage

be'schäftigt occupied, busy

be'schämt shamed

der Be'scheid (-s, -e) knowledge; — wissen be well informed, know one's onions

be'scheiden (participial adj.) modest; unassuming

be'schließen (o, o) decide, resolve

be'schmutzt soiled, dirty

be'schreiben (ie, ie) describe; die Be'schreibung (-, -en) description

be'sehen (ie; a, e) look at, inspect, examine

be'seitigen do away with, put an end to

der **Besen** (–s, –) broom

be'sitzen (–säß, –sessen) possess, have; der **Be'sitzer** (–s, –) owner

be'sonders especially, particularly; nichts **Be'sonderes** nothing special

die **Be'sorgnis** (–, –nisse) care, anxiety, apprehension

besser better; **besseres** (something) better; **bessern** improve, reform; sich — improve, mend one's ways; die **Besserung** (–, –en) improvement, reform

die **Be'stätigung** (–, –en) confirmation; receipt, deposit tag

be'stechlich bribable, corrupt; die **Be'stechlichkeit** (–, –en) corruptibility

be'stehen (–stand, –standen) pass, survive; — aus or in consist of; eine Probe — stand (pass) a test

be'steigen (ie, ie) mount, get in

be'stellen order

be'stimmen determine; **be'stimmt** definite, positive

be'strafen punish

be'stürmen storm; besiege

be'stürzt dismayed, taken aback

be'suchen visit; **be'sucht** visited, attended; der **Be'such** (–s, –e) visit; attendance; zu — for a visit; der **Be'sucher** (–s, –) visitor, caller

be'teiligen: sich — take part, participate

be'trachten regard, observe, look at

der **Be'trag** (–s, ⁺e) amount, sum (total)

be'treffen (i; a, o) concern; **be'troffen** struck with surprise, taken aback

be'treten (–tritt; a, e) enter

be'trunken drunk

beugen: sich — bend, lean; — zu bend over to

die **Beute** (–) booty

die **Be'völkerung** (–) population

be'vor before

be'waffnen arm

be'wegen: sich — move

be'weisen (ie, ie) prove, demonstrate; der **Be'weis** (–es, –e) evidence, proof

be'wohnt occupied

be'wölken cloud (over)

be'wundern admire; ließ sie — permitted it to be admired

be'zahlen pay (for)

das **Bienchen** (–s, –) little bee

das **Bier** (–s, –e) beer

bieten (o, o) offer; afford

bilden form

billig cheap, low

der **Bindfaden** (–s, ⁺) string

bis until, (up) to; — auf except for; — zu until, as far as, to the point of; **bis'her** till now, heretofore

bissig biting, snappish, rabid

bitten (bat, gebeten) (um) ask, beg (for), request; **bitte!** please; — sehr! please (do); I beg your pardon!; *(formula of politeness)* Please, I'm at your service! or Anything to oblige you!

blank shining

blasen (ie, a) blow

blaß pale

das **Blatt** (–es, ⁺er) sheet, leaf

blau blue

der **Blechsoldat** (–en, –en) (lead) tin soldier

bleiben (ie, ie) remain; stehen — stop; remain standing; übrig — remain, be left

bleich pale

blicken look; — auf look at; der **Blick** (–es, –e) look, glance

blind (vor) blind (from)

der **'Block,buchstabe** (–ns, –n) block letter

bloc'kieren block

bloß only, merely

der **Blumenstrauß** (–es, ⁻e) bouquet

blutig bloody

der **Boden** (–s, – *or* ⁻) floor, ground

der **Bord: an** — on board

bösartig malicious, vicious

die **Botschaft** (–, –en) errand, message

brauchen need, use; der **Brauch** (–es, ⁻e) usage, custom

braun brown

brav good, valiant

brechen (i; a, o) break

breit broad

brennen (brannte, gebrannt) burn

der **Brief** (–es, –e) letter; die **Briefmarke** (–, –n) postage stamp; die **Brieftasche** (–, –en) pocket-book, wallet

die **Brille** (–, –en) glasses

bringen (brachte, gebracht) bring; **die Zeitung brachte** the newspaper carried; **der Reporter, der den guten Artikel gebracht hatte** . . . who had supplied . . .; **zum Fahren bringen** get (it) to go

brüllen roar

brummen growl, mutter, murmur; der **Brummbär** (–en, –en) grumbler, growler, sorehead

der **Bub(e)** (–en, –en) boy, lad; urchin, scamp

das **Buch** (–es, ⁻er) book; der **Buchhalter** (–s, –) book-keeper; der **Buchstabe** (–ens, –en) letter

bücken: sich — stoop, bend over

das **Bündel** (–s, –) bundle

der **Bürgermeister** (–s, –) mayor

das **Bü'ro** (–s, –s) office; der **Bü'rokol‚lege** (–en, –en) office colleague

der **Bursche** (–en, –en) fellow

der **Büschel** (–s, –) (*also* das) tuft, bunch, wisp

der **Chauf'feur** (–s, –e) (*pron.* Schöf'för), chauffeur

der **Chef** (–s, –s) chef, head

der **Chi'nese** (–en, –en) Chinese

der **Clown** (–s, –s) clown

das **Cou'vert** (–s, –s) envelope

da there; since; **da'bei sein** be in (ready) for; **da'für** for it; **da'gegen** against it; on the other hand; **da'her** therefore, hence, for that reason; **da'mit** so that, in order that; **da'ran** about it; **da'rauf** on it, thereupon; **da'rin** (drin) in it, inside; **da'rum** about that; therefore; **da'rüber** over that; **Ansicht** — view as to; **da'runter** under it; **da'von** from it; away

da'her-reden go talking along; babble

da'her-reiten (ritt –, –geritten) ride along

da'von-laufen (ie, au) run away

da'von-reiten (ritt –, –geritten) ride away

dachte *see* denken

der **Dackel** (–s, –) (popular for) Dachshund

die **Dame** (–, –en) lady; der **'Damenfri‚siersalon** (–s, –s) ladies' hair-dressing parlor

dämpfen dim, turn down, subdue

Dänemark (*neut.*) Denmark

danken (*dat.*) thank; (ich) **danke schön** thank you (kindly); der **Dank** (–es) thanks; **vielen** — many thanks; **Gott sei** — thanks be; heaven be praised

dann then

darf *see* dürfen

das'selbe the same (thing)

das **Datum** (-s, **Daten**) date
dauern last, take (time)
der **Daumen** (-s, -) thumb
debat'tieren debate; die **De'batte** (-,
-en) debate
die **Decke** (-, -en) ceiling
der **Deckel** (-s, -) lid, cover
dehnen stretch, drawl out (one's
syllables)
die **Demonstra'tion** (-, -en) (*pron.*
—tsjōn) demonstration
denken (**dachte, gedacht**) (**an**)
think (of); **an eine Arbeit war
nicht zu** — there could be no
thought of work; das **Denkmal**
(-s, -e *or* ‑er) monument
denn for; then; **dennoch** and yet,
nevertheless
depo'nieren deposit
der, die, das the; (*demon.*) he, she,
it (that); **deren** (*gen.*) of whom
(of which); **dessen** (*gen.*), whose,
of which, of the same (latter);
derartig of such a kind; **derent-
wegen** for (the sake of) which;
der'gleichen the like; **der'selbe**
the same
der **Derwisch** (-es, -e) Dervish
deshalb therefore, for (over) that,
on that account
der **Detek'tiv** (-s, -e) detective
deuten (**auf**) point (to); **deutlich**
distinct, clear, intelligible
der **De'zember** (-s) December
die **Dia'mantenbrosche** (-, -en)
diamond brooch
dick thick, stout
der **Dieb** (-es, -e) thief; der **Diebstahl** (-s, -e) theft
dienen serve; der **Diener** (-s, -)
servant; der **Dienst** (-es, -e)
service
dieser (-e, -es) this, the latter;
diesmal this time
das **Ding** (-es, -e) thing

di'rekt direct; der **Di'rektor** (-s,
Direk'toren) manager, president
dis'kret discreet
doch yet, but, anyhow, nevertheless,
still, after all, certainly
das **Doku'ment** (-s, -e) document
der **Dolch** (-es, -e) dagger
der **Dollar** (-s, -s) dollar
doppelt double; das **Doppelte** twice
the amount
das **Dorf** (-es, ‑er) village; der
Dorflehrer (-s, -) village teacher;
die **Dorfzeitung** (-, -en) village
newspaper
dort there
der **Drache** (-n, -n) dragon
der **Draht** (-es, ‑e) wire
drängen: sich — press one's way
draußen outside
drehen (**auf**) turn (upon), whirl
drei three; die **Dreihorns** (*jocular
for*) **die drei Einhorns; dreimal**
three times; der **Drilling** (-s, -e)
triplet; der **Dritte** third person;
das **Drittel** (-s, -) a third (part)
drin (**darin**) in it
dringend urgent
drohen threaten; **drohend** threat-
ening
drollig droll, funny; —er **Kauz**
queer duck
drucken print; der **Druck** (-es, -e)
print
drücken press, stamp
dumm dumb, stupid
dumpf dull, muffled
dunkel dark; das **Dunkel** (-s)
darkness; die **Dunkelheit** (-)
darkness
dünn thin
durch through, by; das **Durchei'n-
ander** (-s) confusion, hubbub;
durchei'nander-er zählen tell pell-
mell (in promiscuous confusion);
durchei'nander-fallen (**ie, a**) fall

mixed up; durchei'nander-mi-schen mix up, confuse; durchei'n-ander-schreien (ie, ie) yell in confusion; durch'forschen search through; 'durch-führen accomplish, carry out; 'durch-lassen (ie, a) let through; 'durch-setzen carry out

dürfen (durfte, gedurft) may, be permitted

dürftig scanty, sorry, insufficient

das Dutzend (–s, –e) dozen

eben even (then), just; er hatte — zwei Arbeitstage verloren he had lost two working days, and that's all there was to it!; ebenerdig (on the) ground floor; ebenfalls likewise; ebenso just as, likewise; ebensowenig just as little

echt genuine

die Ecke (–, –en) corner

die Ehe (–, –en) marriage; das Ehe-paar (–es, –e) married couple

ehe before; am ehesten soonest; most likely

ehren honor; sehr geehrter Herr Dear Sir; ehrenhaft honorable; der Ehrenposten (–s, –) post of honor; ehrfürchtig respectfully, reverently; ehrlich honest, in good faith

eifrig eager, zealous

eigen own; eigentlich really; actually; das Eigentum (–s, "er) property

eilen hasten, hurry; die Eile haste; — haben be in a hurry; eilig hasty, urgent, in a hurry

ei'nander one another; each other

ein-bauen (in) build into

ein-brechen (brach –, –gebrochen) break in; der Einbrecher (–s, –) house breaker, burglar; der Ein-

brecherkönig (–s, –e) king of burglars

eindringlich penetrating, forcible

der Eindruck (–s, "e) impression

einer (–e, –es) one; einfach simple; –es Gewicht single (minimum) weight

ein-fallen (ä; ie, a) (sein) occur to; think of; der Einfall (–s, "e) idea, notion, fancy

die Eingangstür (–, –en) entrance door

eingebildet conceited

ein-greifen (griff –, –gegriffen) intervene

einheimisch native

einheitlich uniform

ein-holen overtake

einig- several; –er, –e, –es some, a certain amount of; nach –er Zeit after some time; einigemale several times; 'einiger'maßen in some measure, to some extent

einigen: sich — agree, come to agreement (terms)

'ein-kas,sieren collect (the money)

der Einkauf (–s, "e) purchase, shopping; der 'Einkaufsge,spräch (–es, –e) marketing conversation

ein-laden (ladete or lud –, –geladen) invite

einmal once, for once; auf — at one time; nicht — not even; wieder — once again

die Einnahme (–, –en) receipts, sums taken in

ein-packen pack, wrap up

ein-reiben (ie, ie) rub (with)

ein-richten arrange, furnish

einsam lonely, solitary

ein-schlafen (ä; ie, a) fall asleep

ein-schleichen (i, i) creep (slip) in; das Einschleichen (–s) creeping in

ein-schreiben (ie, ie) register; — **lassen** have registered
ein-sehen (ie; a, e) see into, comprehend
ein-seifen lather
einseitig on one side, one-sided
die **Einsiede'lei** (-, -en) hermitage
ein-sperren lock up
einstig one-time, former
ein-stecken put (stick) into one's pocket
ein-steigen (ie, ie) get (climb) in
ein-stellen stop
ein-treffen (i; a, o) arrive
ein-treten (tritt —; a, e) step in, enter; set in; die **eingetretene Stille** the silence which had arisen
einverstanden (*past part.*) agreed; das **Einverständnis** (-nisses, -nisse) agreement
ein-wenden (wandte -, -gewandt) object
ein-werfen (i; a, o) cast in, interject
ein-zeichnen draw (mark, form) in
einzeln single; one at a time
ein-ziehen (zog -, -gezogen) move in(to)
einzig single, sole, only; **einziger** only one
das **Eisen** (-s) iron; die **Eisenbahn** (-, -en) railroad; die **'Eisenbahn-sta,tion** (-, -en) (*pron.* —tsjön) railway station; die **Eisentür** (-, -en) iron (metal) door; das **Eisenwerk** (-es, -e) ironworks; **eisern** iron, steel
eisig icy
eitel vain
der **Ele'fant** (-en, -en) elephant
der **E'lektriker** (-s, -) electrician; **e'lektrisch** electric
elend wretched, miserable
die **Eltern** parents

emp'fangen (ä; i, a) receive
emp'fehlen (ie; a, o) recommend; die **Emp'fehlung** (-, -en) recommendation; der **Emp'fehlungsbrief** (-es, -e) letter of recommendation; das **Emp'fehlungsschreiben** (-s) *see* —brief
em'pört indignant, outraged
das **Ende** (-es, -en) end; **kein** — **nehmen** come to no end; **zu** — at an end; **endgültig** finally; conclusive; **endlich** finally
e'nergisch energetic
eng narrow
England (-s) (*neut.*) England
ent'decken discover; die **Ent-'deckung** (-, -en) discovery
ent'fernen: sich — go away, withdraw; **ent'fernt** distant
die **Ent'führung** (-, -en) abduction
ent'gegen-treten (tritt -; a, e) (*dat.*) step towards
ent'gehen (-ging, -gangen) (sein) escape
ent'halten (ä; ie, a) contain
ent'lang along
ent'legen remote
ent'nehmen (-nimmt; -nahm, -nommen) take from
die **Ent'scheidung** (-, -en) decision
ent'schließen (o, o) **sich** — decide; der **Ent'schluß** (-schlusses, -schlüsse) resolution, decision; **einen** — **fassen** make a resolution
ent'schuldigen excuse, pardon; **sich** — excuse one's self, apologize
ent'setzlich frightful, terrible, horrible; **ent'setzt** horrified, terrified; in horror
ent'stehen (-stand, -standen) arise, occur
ent'steigen (ie, ie) (*dat.*) get out of
ent'weder . . . oder either . . . or

ent'zückt enraptured
erben inherit; das Erbe (–es, *pl.*
Erbschaften) inheritance
er'blicken catch sight of, see
er'bost vexed, made angry
die Erde (–, –en) earth
die Er'fahrung (–, –en) experience
er'freut happy, pleased, delighted
er'frieren (o, o) freeze to death
die Er'frischung (–, –en) refreshment
er'füllen fulfill
er'gänzen complete
er'geben (i; a, e) afford; das Er-'gebnis (–nisses, –nisse) result
er'gießen (o, o) pour
er'greifen (–griff, –griffen) seize
er'heben (o, o): sich — get up, arise
er'heitern brighten, light up
er'hitzen heat up
er'hoben; *see* erheben
er'holen: sich — (von) recover (from)
er'innern (an) remind (of); daran —, daß . . . remind of the fact that; sich er'innern remember
er'kälten: sich — catch cold; ich bin erkältet I have a cold
er'kennen (–kannte, –kannt) recognize
er'klären explain; declare; erklärend explaining; ließ sich — had explained to him
er'lauben allow; sich er'lauben take the liberty
er'leben experience; das Er'lebnis (–nisses, –nisse) experience, adventure, occurrence
er'ledigt finished
er'leichtern relieve
er'mahnen admonish
er'muntern rouse, stir up, encourage, get signs of life
er'nennen (–nannte, –nannt) (zu) appoint

er'neuern renew
ernst serious
er'raten (ä; ie, a) guess, (find out by) conjecture
er'regen arouse, stir up; Aufsehen — attract attention, create a stir; er'regt excited
er'reichen reach
er'schallen (o, o) sound
er'scheinen (ie, ie) (sein) appear
er'schlagen (ä; u, a) slay, strike dead
er'scholl: *see* er'schallen
er'schrecken (–schrak, –schrocken) be startled, frightened
er'setzen replace
erst first; only; — als not until; — jetzt only now, not until now; — um acht not until eight; im —en Stock on the second floor, in the second story; zum —enmal for the first time
er'sparen save
er'starrt petrified
er'staunt astonished; das Er'staunen (–s) astonishment; vor — from astonishment
er'suchen (um) request, ask (for)
er'tappen surprise, catch (in the act)
er'tönen sound, resound
er'wachen awake
er'wähnen mention
er'warten expect; wait (for)
er'weisen (ie, ie): sich — show itself (to be), prove
er'werben (i; a, o) acquire, win, gain
er'widern reply, respond
er'wischen nab, catch; ich erwische ihn schon *present tense used with future meaning*
er'zählen tell, narrate
das Er'zeugnis (–nisses, –nisse) product

er'zieherisch educative
er'zogen raised, trained
essen (āß, gegessen) eat
etwa perhaps, about, by any chance;
— 30 Jahre some thirty years
etwas something; so — the like (of
that); — geben be something
Eu'ropa (*neut.*) Europe; euro-
'päisch European

fabelhaft fabulous, incredible
die Fa'brik (–, –en) factory fa'brik-
neu factory-new
der Fachmann (–s, ⁺er) specialist
die Fähigkeit (–, –en) ability
fahren (ä; u, a) ride, travel, go;
drive; es fährt! it's going!; in die
Höhe — start up; mit der Hand
— pass one's hand; zum Fahren
bringen get (it) to go; das Fahrrad (–s, ⁺er) bicycle; die Fahrspesen fare expenses, outlay for
his fare; das Fahrzeug (–s, –e)
vehicle; die Fahrt (–, –en) jour-
ney, trip, ride; während der —
while (the elevator was) in motion
fallen (ä; ie, a) fall; einem schwer
— find difficult; einem um den
Hals — fall upon one's neck; der
Fall (–es, ⁺e) case; falls in case;
die Falle (–, –en) trap
falsch false, wrong
die Fa'milie (–, –en) family
fa'mos famous; jolly, capital
fangen (ä; i, a) catch
färben color, dye
fassen grasp, seize; einen Entschluß
— form a resolution; die Fassung
(–, –en) form, version; fassungslos disconcerted
fast almost, hardly; das macht —
gar nichts (fast *adds a touch of
irony*) that makes almost no difference at all

die Faust (–, ⁺e) fist
fehlen (an) lack, be lacking (in);
der Fehler (–s, –) mistake
feiern celebrate; die Feier (–, –n)
celebration; feierlich solemn
fein fine
feindselig hostile
das Feld (–es, –er) field
das Fell (–es, –e) pelt, skin, fur
der Felsen (–s, –) rock
das Fenster (–s, –) window; der
Fensterplatz (–es, ⁺e) window-
seat
fern distant; ferner further; die
Ferne (–, –en) distance
fertig through, finished; ready
fesseln (an) fasten, bind, tie (to);
Interesse — hold (capture) one's
interest
fest fast, firm; festgesetzt deter-
mined, fixed; fest-stellen determine, confirm
das Feuer fire; der Feuerfresser (–s,
–) fire-eater; die Feuerwehr (–,
en) fire-brigade
der Film (–es, –e) film
finden (a, u) find; sich — be
found; der Finder (–s, –) finder
der Finger (–s, –) finger
finster dark; im Finstern in the
dark
die Firma (–, Firmen) firm
flackern flicker
das Flämmchen (–s, –) little
flame
die Flasche (–, –en) bottle
flehentlich beseechingly
fliehen (o, o) flee
die Flöte (–, –en) flute
flucken curse
flüchtig fleeting; slight, superficial
der Flügel (–s, –) wing; grand
piano
die Flüssigkeit (–, –en) fluid, liquid
flüstern whisper

folgen (*dat.*, **sein**) follow; **folgsam** obedient, docile

forschen (**nach**) search (for); die **Forschung** (–, –en) investigation

fort on, forth, away; **fort-gehen** (i, a) (**sein**) go away; **fort-laufen** (äu; ie, au) (**sein**) run away; **fort-setzen** continue

fragen ask; die **Frage** (–, –en) question; **es handelt sich um die** — it has to do with, the question (matter) at stake is, it concerns

die **Frau** (–, –en) woman, wife, Mrs.; **zur** — **geben** give to wife (in marriage); der **Frauenklub** (–s, –s) women's club; das **Fräulein** (–s, –) Miss, young woman; das **Frauenzimmer** (–s, –) woman

frech bold, audacious; die **Frechheit** (–, –en) impudence, audacity

frei free; — **lassen** let go (set) free; **den Weg** — **machen** clear the way; **freilich** to be sure; **freiwillig** voluntary

fremd strange; der **Fremde** stranger

fressen (i; a, e) eat (*of animals*)

freuen: sich — be glad, rejoice; — **auf** happily anticipate; — **über** be glad over, about; die **Freude** (–, –en) joy, pleasure; **freudestrahlend** beaming with joy

der **Freund** (–es, –e) friend; die **Freundin** (–, –nen) girl friend; **freundlich** kind, (in a) friendly (way, tone)

der **Frieden** (–s) peace

frieren freeze, be cold

frisch fresh

der **Fri'seur** (–s, –e) (*pron.* —**ör**) hairdresser, barber; der **Fri'sierhelm** (–es, –e) hair-dressing helmet; der **Fri'seurladen** (–s, ̈) hairdressing (barber) shop

froh glad, happy; **fröhlich** merry; **einen** — **stimmen** put one in a merry mood

der **Frosch** (–es, ̈e) frog

früh early; (early) morning; **früher** earlier, formerly; das **Frühstück** (–s, –e) breakfast; **frühzeitig** early

fühlen feel

führen (**an**) lead, conduct (by); — (**in**) empty (into); **ein Gespräch** — carry on a conversation; (*of an autobus line*) **durch den Ort** — run through the village

füllen fill

der **Fund** (–es, –e) find

fünf five; **fünft** – fifth; **fünfjährig** five-year; **fünfmal** five times; **fünfzehn** fifteen; **fünfzigjährig** fifty-year

funkeln sparkle, shine

funktio'nieren function

fürchten fear, be afraid; **sich** — be afraid; die **Furcht** (–) (**vor**) fear (of); **furchtbar** frightful, terrible; **furchtlos** fearless; **fürchterlich** frightful

der **Fuß** (–es, ̈e) foot; der **Fußball** (–s, ̈e) football; der **Fußtritt** (–s, –e) kick

das **Futter** (–s) food (*for animals*)

der **Gang** (–es, ̈e) hallway; walk; **gangbar** passable; —**e Münze** current coin

ganz whole, entire

gar quite, entirely, very; — **kein** none at all, absolutely no; — **nicht** not at all; — **nichts** nothing at all

der **Garten** (–s, ̈) garden; der **Gartenschädling** (–s, –e) garden pest (*cf.* **schaden** to harm)

das **Gas** (–es, –e) gas; der **Gasofen** (–s, ̈) gas stove die **Gasse** (–, –en) (narrow) street, lane

der **Gast** (–es, ⁓e) guest

geben (i; a, e) give; **es gibt** there is (are); **was gibt's** "what gives," what's going on; **eine Lehre geben** teach a lesson; **von sich —** give out, emit

der **Ge'brauch** (–s, ⁓e) custom

das **Ge'brüll** (–s) roar(ing)

der **Ge'burtstag** (–s, –e) birthday; die **Ge'burtstagsfeier** (–) birthday celebration; das **Ge'burtstagsgeschenk** (–s, –e) birthday gift; das **Ge'burtstagskind** (–s, –er) birthday child

der **Ge'danke** (an) (–ns, –n) thought (of); **ge'dankenvoll** thoughtful; pensive

ge'deihen (ie, ie) thrive, flourish, prosper

die **Ge'duld** (–) patience

die **Ge'fahr** (–, –en) danger; **ge'fährlich** dangerous

ge'fallen (ä; ie, a) (*dat.*) please; **sich — lassen** put up with; **ge'fälligst** if you please

das **Ge'fängnis** (–nisses, –nisse) prison; imprisonment

ge'fesselt tied, bound

das **Ge'frorene** (*cf.* **frieren** to freeze) ices, ice-cream

gegen against, towards; for, in return (for); **gegenseitig** mutual, reciprocal; der **Gegenstand** (–s, ⁓e) object; **gegen'über** (*dat.*) opposite; confronted by; **gegen'über-liegen** (a, e) lie opposite; **gegen'über-treten** (tritt –; a, e) confront; der **Gegner** (–s, –) opponent

ge'gessen: *see* **essen**

die **Ge'haltserhöhung** (–, –en) raise in salary

ge'heimnisvoll mysterious

gehen (ging, gegangen) (sein) go, pass, walk; **auf jemand zu —** go up to; **es geht nicht** it won't do (work); **suchen —** look for

ge'horchen (*dat.*) obey

ge'hören (*dat.*) belong to; **— zu** be a member of, belong to

ge'horsam obedient

der **Geist** (–es, –er) spirit; **geistesabwesend** absent-minded; **geistesgegenwärtig** with presence of mind

geizig stingy

ge'langen (in) come, get (into)

ge'launt disposed; **schlecht —** in bad humor

gelb yellow

das **Geld** (–es, –er) money; die **Geldanweisung** (–, –en) money remittance (order); **—en übernehmen** accept money remittances, issue money-orders

die **Ge'legenheit** (–, –en) occasion

ge'lehrt learned, wise

ge'lingen (a, u) (*dat.*) succeed; **es gelingt mir** I succeed

ge'lockt curled

gelten (i; a, o) count, have validity; **es gilt** it's a go! done!

ge'mein common; die **Ge'meindekasse** (–s, –) community (town) treasury; die **Ge'meindeversammlung** (–, –en) town meeting; **ge'meinsam** in common, together

ge'mütlich comfortable, cosy

ge'nau exact, minute, close, precise

ge'nügen suffice, be enough, **ge'nügend** enough, sufficient; **ge'nug** enough

die **Geogra'phie** (–) (*hard initial* G), geography

das **Ge'päck** (–s) baggage; das **Ge'päcknetz** (–es, –e) baggage net

(rack); der **Ge'päckträger** (–s, –)
baggage carrier; red-cap
ge'rade just (then), precisely; **sagte**
— was just saying; **wie . . . ge-**
rade just as; **geradeso** just as
das **Ge'räusch** (–es, e) noise
ge'reizt irritated
ge'ring small, little, slight; **ge-**
'ringer less; **ge'ringschätzig** dep-
recatingly, contemptuously
gern(e) gladly; **ich möchte so gerne**
I should like so much
ge'rührt touched
ge'samt entire
das **Ge'schäft** (–s, –e) business,
shop; deal; der **Ge'schäftsmann**
(–es, –leute) business man
ge'schehen (ie; a, e) (sein) happen
das **Ge'schenk** (–s, –e) gift, present
die **Ge'schichte** (–, –n) story, his-
tory; affair
das **Ge'schrei** (–s, –e) cry, yelling
die **Ge'schwindigkeit** (–, –en) speed
ge'sellen: sich — (**zu**) join; die
Ge'sellschaft (–, –en) company
der **Ge'setzesfreund** (–es, –e) friend
of the law
das **Ge'sicht** (–es, –er) face; **ein** —
machen make a face
ge'spannt attentive, tense
das **Ge'spräch** (–s, –e) conversation;
ge'sprächig talkative, voluble
die **Ge'stalt** (–, –en) form, figure
ge'statten permit; — **Sie** permit me;
beg pardon
ge'stehen (–stand, –standen) con-
fess
gestern yesterday; — **abend** last
evening
das **Ge'töse** (–s) noise, uproar
die **Ge'walt** (–, –en) power, force;
ge'waltig mightily; **ge'waltsam**
violently, by force; die **Ge'walt-**
tat (–, –en) act of violence
ge'währen afford

ge'wesen: *see* **sein**
das **Ge'wicht** (–es, –e) weight; **ein-**
faches — single (*i. e.,* minimum)
weight
gewiß certainly
ge'wissenhaft conscientious
ge'wohnt used to; accustomed; die
Ge'wohnheit (–, –en) habit, custom; **ge'wöhnlich** usual, ordi-
nary, common
das **Gift** (–s, –e) poison; **giftig**
venomous
der **Gipfel** (–s, –) summit, height
die **'Gipsfi,gur** (–, –en) plaster of
Paris figure
die **Gi'raffe** (–, –n) (*pron. with a*
hard g, *or soft* ʒ) giraffe
das **Glas** (–es, "er) glass; **gläsern**
(of) glass
glauben (*dat.*) believe
gleich equal, same; at once; **gleich-**
falls likewise; **gleichwertig** of
equal (similar) value
gleiten (glitt, geglitten), glide, slip
das **Glück** (–es) (piece of) good
luck; **zum** — fortunately; **glück-**
lich happy
das **Gold** (–es) gold; **golden** golden;
die **Goldmünze** gold coin; der
Goldpeso (–s, –s) *Humorous non-*
sense. The peso is the Spanish sil-
ver dollar; das **Goldstück** (–s, "e)
gold piece
das **Golf** (–s) golf; der **Golfschläger**
(–s, –) golf club; das **Golfspiel**
(–s, –e) (game of) golf
gönnerhaft patronizingly
der **Gott** (–es, "er) God; (**sei**) **Gott**
befohlen be commended to God;
God be with you!
gräßlich shocking, monstrous
grauhaarig grey-haired
grausam cruel
greifen (griff, gegriffen) reach; —
in reach in; — **nach** reach for;

der **Griff** (–es, –e) grasp, grip, jerk

grell glaring, dazzling

grimmig grim, angry

grob rude, uncivil

groß big, large; **größer** larger: rather sizeable; die **Größe** size; die **Großmutter** (–, ") grandmother

grün green

der **Grund** (–es, "e) ground, reason; **im —e** at bottom

die **Gruppe** (–, –n) group

grüßen greet, say good-bye; **läßt —** sends greetings

der **Gummiball** (–s, "e) rubber ball

der **Gurt** (–es, –e) or die **Gurte** (–, –n) belt, strap; die **Traggurte** carrying strap (*see illustration!*)

gutgekleidet well-dressed

gutgelaunt good-humored

gutmütig good-natured

das **Haar** (–es, –e) ᵃhair; **haarig** hairy; der **Haarausfall** (–s, "e) falling out of the hair; das **Haaröl** (–s, –e) hair-oil; die **Haarpflege** (–) care of the hair; die **Haarschleife** (–, –n) bow for the hair; das **Haarschneiden** (–s) hair-cut; der **Haarwald** (–es, "er) forest of hair; der **Haarurwald** (–es, "er) primeval forest of hair; der **Haarwuchs** (–es, "e) growth of hair

der **Hafen** (–s, ") harbor

hager haggard; lank

der **Haken** (–s, –) hook

halb half; **— sechs** half past five; die **Hälfte** (–, –n) half; das **Halbdunkel** (–s) half-darkness

die **Halle** (–, –n) hall

der **Hals** (–es, "e) neck; **einen langen — machen** crane one's neck

halten (ä; ie, a) keep, hold; **— für** consider, take for (*or* to be); **eine Rede —** make a speech

der **Ha'lunke** (–n, –n) rascal, scamp

die **Hand** (–, "e) hand; **handeln** act; **sich — (um)** be a matter of, have to do with, be about; **es handelte sich um** the matter concerned was, the question at issue was; **worum es sich handelte** what it was about; der **Handel** (–s, ") business, trade, deal; die **Handelsfirma** (–, –men) (business) firm; der **'Handelsmiˌnister** (–s, –) minister (secretary) of commerce; der **Handgriff** (–es, –e) grip, sleight-of-hand trick, knack; der **Handkoffer** (–s, –) suitcase; der **Händler** (–s, –) dealer; die **Handlung** (–, –en) action; der **Handschuh** (–s, –e) glove; die **Handtasche** (–e, –n) handbag

hangen (ä; i, a) (*intrans.*) hang

hängen (*trans.*) hang

harmlos harmless

hartnäckig stiff-necked, obstinate

häufig frequent; das **Häuflein** (–s, –) little heap

das **Haupt** (–es, "er) head; das **Hauptkunststück** (–s, –e) chief trick; die **'Hauptperˌson** (–, –en) chief person, hero; die **Hauptstraße** (–, –n) main street

das **Haus** (–es, "er) house; **nach —e gehen** go home; **zu —** at home; die **Hausaufgabe** (–, –n) home assignment; der **Hausbesorger** (–s, –) house caretaker; der **Hausflur** (–es, –e) entrance hall; die **Haushälterin** (–, –innen) housekeeper; der **Hausherr** (–n, –en) master of the house; die **Haustür** (–, –en) house (*or* front) door

der **Hebel** (–s, –) lever

heftig violent

das **Heftchen** (–s, –) booklet; —
um zwei **Mark** two-mark booklet
hegen cherish, nourish
die **Heimatstadt** (–, ⸚e) home town
heimlich secret
heiraten marry; die **Heirat** (–, –en)
marriage
heiß hot
heißen (ie, ei) be, be called; das
heißt that is (means); ich **heiße**
my name is; was soll das —?
what does this mean?; wie —
Sie? what is your name?
heizen heat up; die **Heizung** (–,
–en) heat; heating installation
(apparatus)
der **Held** (–en, –en) hero
der **Helfer** (–s, –) helper, accom-
plice
hell bright, clear, loud
der **Hemdärmel** (–s, –) shirt-sleeve;
die **'Hemdenfa,brik** (–, –en) shirt
factory
he'rab-lassen (ä; ie, a) let down,
close
he'rab-gleiten (glitt –, –geglitten)
slide down
he'ran-springen (a, u) leap up
(toward)
he'ran-treten (tritt –; a, e) (an)
walk (step) up (to)
he'rauf-bringen (brachte –, –gebracht) bring up
he'raus-finden (a, u) find out
he'raus-hangen (ä; i, a) hang out
he'raus-kommen (a, o) (sein) (aus)
come out (of), get outside (of),
escape (from)
he'raus-nehmen (nimmt –; nahm –,
–genommen) take out, remove
he'raus-quellen (i; o, o) pour out
he'raus-schlüpfen slip out
he'raus-ziehen (o, o) pull out
her'bei-kommen (kam –, –gekommen) (sein) come (here, by, up)

her'bei-laufen (läuft –; ie, au)
(sein) run up
her'bei-rufen (ie, u) summon, call
(to come) up; Poli'zei — call out
the police
her'bei-schwärmen swarm up
he'rein-kommen (kam –, –gekommen) (sein) come in
her-geben (gibt –; a, e) hand over
der **Hering** (–s, –e) herring; ein
Zug —e a school of herring
der **Herold** (–s, –e) herald
der **Herr** (–n, –en) man, gentle-
man; lieber — or sehr geehrter
— Dear Sir; der **'Herrenfri,seur**
(–s, –e) (*pron.* —sör) gentle-
man's hairdresser (barber); **herrlich** magnificent; **herrschen** pre-
vail, rule
he'rum-balgen: sich — wrestle, tus-
sle (fight) about
he'rum-drehen turn about
he'rum-führen lead around; an der
Nase — to lead by the nose
he'rum-kollern roll about
he'rum-kommen (kam –, –gekommen) (sein) get about; in der
Welt — get about in (see something of) the world
he'rum-kramen rummage about
he'rum-kriechen (o, o) crawl
around
he'rum-laufen (äu; ie, au) (sein)
run about
he'rum-schicken send about
he'rum-springen (a, u) (sein) jump
about
he'rum-turnen exercise around
about, do gymnastics all over
he'runter-fallen (ä; ie, a) (sein) fall
down (off)
he'runter-reißen (i, i) pull down
(*or* off)
he'runter-springen (a, u) (sein)
leap down

her'vor-holen fetch forth, bring out

her'vor-kriechen (o, o) (sein) creep out

her'vor-stürzen (sein) (aus) rush out (from)

her'vor-zerren pull (haul, drag) out

das Herz (–ens, –en) heart; das Herzchen (–s, –) little (sweet-) heart, darling; das Herzklopfen (–s) palpitation of the heart; herzlich hearty, cordial

der Herzog (–s, ⁀e) duke

heucheln simulate, pretend

heulen howl, yell; cry

heute today; noch — yet today, still; heutig of today, present

hieb: see hauen hew, strike; der Hieb (–es, –e) blow

hier'her-kommen (kam –, –gekommen) (sein) come here

die Hilfe (–, –n) (um) help (for); hilflos helpless

der Himmel (–s, –) heaven; sky; du lieber — great heavens!

hin (expresses motion away from the speaker) away, thither; — und her back and forth

hi'nab-beugen bend down

hi'nauf-blicken look up

hi'nauf-gehen (ging –, –gegangen) (sein) go up

hi'nauf-schauen gaze (look) up

hi'naus! out with you!

hi'naus-treten (tritt –; a, e) (sein) step out (upon), walk out (into)

hi'naus-werfen (i; a, o) throw out

hi'naus-ziehen (o, o) go out (abroad), fare forth

hindern (an) hinder (from); das Hindernis (–nisses, –nisse) hindrance, impediment

hin'durch through; durch sie hin-'durch through it

hi'nein-bringen (brachte –, –gebracht) get (bring) in

hi'nein-gehen (ging –, –gegangen) (sein) go in (to)

hi'nein-lassen (ä; ie, a) let in

hi'nein-schmuggeln smuggle in

hi'nein-tun (tat –, –getan) put in

hi'nein-werfen (i; a, o) throw in

hin-gehen (ging –, –gegangen) (sein) go (there; thither, forth)

hinken limp

hin-legen lay down, place

hin-schieben (o, o) shove (to)

hin-sehen (ie; a, e) look (in that direction)

hinten behind, in the back

hinter after, behind, rear; hinter . . . her along after; der Hintergrund (–es, ⁀e) background; hinter'lassen (ä; ie, a) leave to

hi'nüber-laufen (ä; ie, au) (sein) run over

hi'nunter-gehen (ging –, –gegangen) (sein) go down

hi'nunter-rufen (ie, u) call down

hi'nunter-stürzen fall (shoot) down

hin-zählen count out

hin'zu-fügen add

hin'zu-setzen add

die Hitze (–, –n) heat

hob: see abheben

höch high; Hände — hands up; Kopf — heads up; — oben high up; höchstens at the most; hochgestellt prominent, of high station; die Höchzeit (–, –en) marriage

der Hof (–es, ⁀e) yard; court; einem den — machen pay court to; hoffentlich it is to be hoped; die Hoffnung (–, –en) hope; eine schwache — a faint hope; höflich polite; die Höflichkeit (–, –en) politeness

die Höhe height; in die — fahren start up

holen go get, fetch; **sich eine Krankheit** — get (contract) an illness

der **Höllenlärm** (es, -e) hellish (infernal) noise

das **Holz** (-es, ⏑er) wood; die **Holzschachtel** (-, -n) (light) wooden box; der **Holzteufel** (-s, -) wooden devil; der **Holzwürfel** (-s, -) wooden cube

hören hear; — **auf** listen to; **hörbar** audible; **horchen** listen to

die **Hosen** (*pl.*) trousers

der **Ho'telgarten** (-s, ⏑) hotel garden

die **Ho'telhalle** (-, -n) hotel lobby

hübsch pretty

hüllen wrap

der **Hund** (-es, -e) dog; der **Hundekuchen** (-s, -) dog cake

hundert hundred —**mal** a hundred times

hungrig hungry

hupen honk

der **Hut** (-es, ⏑e) hat; die **Hutschachtel** (-, -n) hat-box

die **I'dee** (-, **I'deen**) idea

der **Igel** (-s, -) hedge-hog

immer always; — **größer** bigger and bigger, larger and larger; — **lauter** ever louder; — **noch nicht** still not, not yet; **noch** — still, continue to

indem while

Indien (*neut.*) India; der **Indi'aner** (-s, -) Indian; die **Indi'anergeschichte** (-, -n) Indian story; wild West story

in'folge (*gen.*) in consequence of

der **Inhaber** (-s, -) proprietor

der **Inhalt** (-s) contents; das **Inhaltsverzeichnis** (-nisses, -nisse) table of contents

das **Inland** (-s) inland, native country; **für** — domestic (mail); die **Inlandsbriefmarke** (-, -n) domestic postage stamp

in'mitten in the midst (middle)

innen *inside;* **inne-halten** (ä; ie, a) stop, pause; **innerhalb** (*gen.*) inside of, within

der **In'spektor** (-s, -'toren) inspector

instal'lieren install

das **Instru'ment** (-s, -e) instrument

interes'sieren interest; das **Inte'resse** (-s, -n) interest; **interes'sant** interesting

das **Interview** (-s, -s) (*also fem.*) interview

in'zwischen meanwhile

irgend ein some (or other); — **etwas** something (or other); —**wo** somewhere

i'ronisch ironically

ißt: *see* **essen**

ja yes; **du hast ja** you have, you know (*or* of course); **ich sehe — aus** why, I look

jagen chase, run

das **Jahr** (-es, -e) year; die **Jahreszahl** (-, -en) year numeral (date); das **Jahr'zehnt** (-s, -e) decade

jammern lament

je ever, always, each; — **länger** the longer; **jeder** (-e, -es) each, every-(one); **jedenfalls** in any case, at any event; **jedesmal** each time; **je'doch** however, nevertheless; **jemand** someone; **jener** (-e, -es) that

jetzt now

das **Jubi'läum** (-s, -läen) jubilee

die **Jugend** (-) youth; der **Jugendstreich** (-s, -e) youthful prank

jung young; der **Junge** (–en, *or* –ens, –en) boy, lad
das **Ju'wel** (–s, –e *or* –en) jewel

der **Käfig** (–s, –e) (bird) cage
der **Kai** (–s, –e) quay, wharf, pier
der **Kaiser** (–s, –) Kaiser, Emperor
der **Ka'lender** (–s, –) calendar
kalt cold; auf Kalt stehen stand at "cold"; die **Kälte** (–) cold
das **Ka'mel** (–s, –e) camel
das **Ka'minfeuer** (–s) hearth fire, open fire (in a fireplace)
der **Kämpfer** (–s, –) combatant
der **Ka'narienvogel** (–s, *"*) canary (bird)
das **Känguruh** (–s, –s) kangaroo
die **Kappe** (–, –n) cap
der **Karren** (–s, –) cart
die **Karte** (–, –n) card; die **'Kartenpartie** (–, –tien) card-party; das **Kartenspiel** (–s, –e) card-playing, gambling
die **Kar'toffel** (–, –n) potato
das **Karus'sel** (–s, –s) merry-go-round
die **Kasse** (–, –n) cashier's (paying) office, ticket-office; safe, vault; das **Kassenbuch** (–es, *"*er) cash-book; ledger; der **Kas'sier** (–s, –e) cashier
der **Kasten** (–s, –) chest (of drawers)
die **Kata'strophe** (–, –n) catastrophe
die **Katze** (–, –n) cat
kaufen buy; der **Kauf** (es, *"*e) purchase; die **Käuferin** (–, –innen) lady customer, purchaser
kaum scarcely
der **Kauz** (–es, *"*e) chap; queer duck
kein no; **keiner** (–e, –es) no one, none; **keines** (*neut. of common gender*) no one
die **Kellnerin** (–, –innen) waitress

kennen (kannte, gekannt) know; der **Kenner** (–s, –) specialist, expert, connoisseur; die **Kenntnis** (–nisses, –nisse) (store of, item of) knowledge
die **Kerkerstrafe** (–, –n) prison sentence
der **Kerl** (–s, –e, *or* –s) fellow
die **Kerze** (–, –n) candle
keuchen pant
kichern giggle
das **Kilo'meter** (–s, –) kilometer (⅝ mile)
das **Kind** (–es, –er) child; das **'Kinder,automo'bil** (–s, –e) toy auto; das **Kinderbuch** (–es, *"*er) child's book; die **Kinderflöte** (–, –n) child's flute; das **Kinderspielzeug** (–s, –e) child's toy(s)
das **Kino** (–s, –s) cinema, movie(s)
klappern clatter, rattle
das **Kla'vier** (–s, –e) piano; das **Kla'vierspielen** (–s) piano-playing
klebrig sticky
das **Kleid** (–es, –er) dress, clothes; die **Kleidung** (–, –en) dress, clothing
klein little, small
klettern (auf) climb (up, upon)
klingen (a, u) sound
klingeln ring (the bell) (for)
klopfen knock, clap, tap
klug clever, wise, sensible, intelligent
das **Knattern** (–s) crackle, rattle
knallen crack, pop
knapp close; just; — **vorher** just (a second) before
der **Kneifer** (–s, –) (eye-)glasses; pince-nez
das **Knie** (–s, Kniě) knee
der **Knopf** (–es, *"*e) button
knurren growl
die **Kobra** (–, –s) cobra
der **Koffer** (–s, –) suit-case; trunk

der **Kohlweißling** (–s, –e) white cabbage butterfly

der **Kol'lege** (–n, –n) colleague

der **Ko'met** (–en, –en) comet

komisch comical, funny

kommen (kam, gekommen) (sein) come; **um etwas —** lose something

der **Kommis'sar** (–s, –e) commissary, commissioner

die **Kompa'nie** (–, –n) company

die **Konfe'renz** (–, –en) conference

königlich royal; die **Königin** (–, –innen) queen

können (konnte, gekonnt) can, be able

der **Kopf** (–es, ″e) head; **— hoch** heads up!, **aus dem — schlagen** cast out of one's head, **in den — setzen** take into one's head; die **Kopfbedeckung** (–, –en) head-wear; das **Kopftuch** (–es, ″er) head-cloth, kerchief, scarf

der **Korb** (–es, ″e) basket

der **Korkzieher** (–s, –) cork-puller

der **Körper** (–s, –) body

die **Korrespon'denz** (–, –en) correspondence

kosten cost; die **Kosten** (*pl.*) cost(s)

krabbeln crawl

der **Krach** (–es, –e) crash; quarrel

der **Kram** (–s) stuff, rubbish

die **Krankheit** (–, –en) sickness

kratzen scratch

die **Kra'watte** (–, –n) tie; die **Kra-'wattennadel** (–, –n) tie-pin

der **Kreis** (–es, –e) circle

kreischen scream; **kreischend** shrill

der **Krimi'nalro̦man** (–s, –e) detective novel

kritisch critical

der **Kübel** (–s, –) pail, tub

der **Kuckuck** (–s, –e) cuckoo; **zum — confound it!** (the) deuce (take it!)

kühl cool

kühn bold, daring

der **Kuli** (–s, –s) coolie

kümmern: sich — (um) bother (trouble, concern) oneself (about)

kund-tun (tat –, –getan) make known, announce

das **Kunststück** (–es, –e) work of art; trick, feat; **— machen** perform a trick

der **Kupferpenny** (–s, –ies) copper penny

die **Kurve** (–, –n) curve

kurz short, in short; **— darauf** shortly (there) after; **den Kürzeren ziehen** draw the shorter straw; come out the loser; get the worst of it; der **Kurzschluß** (–schlusses, –schlüsse) short circuit

küssen kiss

die **Kutsche** (–, –n) carriage, coach, buggy

lachen laugh; das **Lachen** (–s, –) laughing; **lächeln** (**über**) smile (at); das **Lächeln** (–s) smile; **lächerlich** laughable, ridiculous; die **Lächerlichkeit** (–, –en) laughableness, absurdity

die **Lade** (–, –n) drawer

der **Laden** (–s, ″) store, shop

lag: *see* **liegen**

die **Lage** (–, –n) situation

die **Lampe** (–, –n) lamp

landen land; die **Landstraße** (–, –n) highway

lang long; **lange** (*adv.*) for a (long) (time); **zwei Monate lang** for two months; **länger** longer, rather long; **je länger** the longer; **um einen Schatten — longer by** a shadow; **längst** longest, **very long; — gesucht** long sought; **— nicht mehr da** long since gone langen (nach) reach (for)

langsam slow

langweilen: sich — be bored

der Lärm (–es, –e) noise; lärmend noisy, noise-raising

lassen (ä; ie, a) let, allow, cause, leave, have; läßt grüßen sends (conveys) greetings; ließ bewundern permitted (it) to be admired; machen ließ had do (perform); sich ra'sieren lassen have oneself shaved

lauern lie in wait

laufen (äu; ie, au) (sein) run; hike, walk; laufendes Band running belt, conveyor; der Lauf (–es, "e) course

die Laune (–, –n) whim, mood; schlechter Laune (adv. gen.) in a bad humor

der Lausbub (–en, –en) urchin, ragamuffin

der Lausejunge (–n, –n) lousy (good-for-nothing) fellow

laut (a)loud; lauten read; der Lautsprecher (–s, –) loud-speaker; die Lautstärke (–, –n) loudness; läuten sound, ring

die La'wine (–, –n) avalanche

leben live; be alive; er lebe hoch (a toast) here's to . . . ; das Leben (–s, –) life; le'bendig living; ein —er Mensch live (animated) person; lebensgefährlich dangerous to life; der Lebenskampf (–es, "e) struggle for existence; lebenswahr true to life

die Leber (–, –n) liver

der Leckerbissen (–s, –) titbit, choice morsel

der Lederkoffer (–s, –) leather suitcase

leer empty; — bis auf empty except for; leergemacht emptied, vacated

legen lay, place; sich schlafen — go to bed

lehren teach; die Lehre (–, –n) teaching, precept, lesson; eine — geben teach a lesson; der Lehrer (–s, –) teacher; die Lehrerin (–, –innen) teacher (fem.)

der Leib (–es, –er) body

die Leiche (–, –n) corpse, dead person

leicht light, easy; leichtgläubig credulous

leiden (litt, gelitten) suffer, endure, stand; leid: es tut mir — I am sorry; leider unfortunately; sorry, but . . .

leise soft

leisten furnish, put up, perform

die Leitung (–, –en) circuit, wiring system; bei Ihnen soll die — schadhaft sein It is reported 1) you have a short in your wiring; 2) "have a screw loose"

lernen learn

lesen (ie; a, e) read; das Lesen (–s) reading

letzt last

leuchten beam, shine; das Leuchten (–s) shining, gleam

die Leute (pl.) people

das Licht (–es, –er) light

lieben like, be fond of, love; lieb dear; lieber rather, better, preferably; am liebsten ißt er he is fondest of eating; die Liebe (–) love; liebevoll lovingly; die Liebkosung (–, –en) caressing; lieblich lovely; der Liebling (–s, –e) darling, favorite; der Lieblingswitz (–es, –e) favorite joke

das Lied (–es, –er) song

liegen (a, e) lie; in den letzten Zügen — lie in one's last gasps, be dying

der **Lift** (–s, –e, *or* –s) elevator; der **Liftschlüssel** (–s, –) elevator key; die **Lifttür** (–, –en) elevator door
die **Linĭĕ** (–, –n) line
link left; **links** to the left
loben praise; das **Lob** (–es) praise
die **Loge** (*soft* g) (–, –n) box, booth
das **Lo'kal** (–s, –e) shop
los loose; **etwas ist —** something is up (wrong); **was ist —** what's up?; **los-schießen** (o, o) shoot, fire away; (*infinitive with imperative meaning*) begin, let 'er go!; **los-werden** (**wurde, geworden**) (**sein**) get rid of; **lösen** loosen; solve
der **Löwe** (–n, –n) lion; der **Löwenbändiger** (–s, –) lion tamer; die **Löwenjagd** (–, –en) lion hunt
die **Luft** (–, ⁼e) air; der **Luftzug** (–s, ⁼e) draft (of air)
der **Lump** (–s, *or* –en, *pl.*, –en) scoundrel; **lumpig** shabby, mean
die **Lupe** (–, –n) magnifying glass
lustig merry, funny; **sich — machen (über)** make fun (of)
der **Luxus** (–) luxury

machen make, do; **auf etwas aufmerksam —** call attention to something; **das macht fast nichts** (*the word* **fast** *adds a humorous, ironical touch*) that makes almost no difference at all; **ein Gesicht —** make (put on) a face; **Kunststücke —** perform tricks; **mir macht das nichts** that is nothing to me; **sich auf den Weg —** set out; **sich an die Arbeit —** set to work; **sich auf die Suche —** start on the hunt; **sich lustig über etwas —** make fun of; **was macht der Vogel?** how is the bird?
machtlos powerless, helpless
das **Mädchen** (–s, –) girl
mag; *see* **mögen**
die **Mahlzeit** (–, –en) meal; **— halten** eat one's meal
die **Mähne** (–, –n) mane
malen paint; das **Mal** (–s, –e) time; mark; mole; **sagen Sie mal** I say! Just tell me!
man one; they
manch some, many (a); **mancher** (–e, –es) many; **manches** many a thing
der **Mann** (–es, ⁼er) man; husband
der **Mantel** (–s, ⁼) mantle, cloak
das **Manu'script** (–s, –e) manuscript
die **Mark** (–, –) mark (*Ger. coin*); **um zwei —** for two marks
die **Marke** (–, –n) postage stamp; das **Markenheftchen** (–s, –) (small) book of stamps; der **Markensammler** (–s, –) stamp collector
das **Marktweib** (–es, –er) market-woman
der **Marsch** (–es, ⁼e) march
die **Masse** (–, –n) mass
das **Materi'al** (–s, –ien) material
der **Ma'trose** (–n, –n) sailor
die **Mauer** (–, –n) wall, masonry
mäuschenstill (*pron.* **mäus-chen**), quiet as a mouse
der **Me'chaniker** (–s, –) mechanic
das **Meer** (–es, –e) sea
mehr more, further; **nicht —** no longer; **mehrere** several, a number (of)
mein my; **meinetwegen** for all I care
meinen think, say, express an opinion; mean; die **Meinung** (–, –en) opinion; **seiner — nach** according to (in) his opinion
meist most
melden announce, make known; **sich —** come forward
die **Melo'die** (–, –n) melody

die **Me'moiren** (*pr.* memo'aren) memoirs

die **Menge** (–, –n) crowd; **die große —** the masses; **in großen —n** in great quantities; **mit einer —** with a lot of; **eine Menge Geld** a lot of money

der **Mensch** (–en, –en) man, human being, person; **menschenfressend** man-eating; die **Menschenmenge** crowd (mass) of people; die **Menschenschlange** (–, –n) line of people, queue

merken notice; das **Merkmal** (–s, –e) sign, mark, characteristic; **merkwürdig** remarkable; curious

das **Messing** (–s) brass

die **Miene** (–, –n) mien, bearing, expression

mieten rent; der **Mieter** (–s, –) tenant; das **Miethaus** (–es, ⁀er) tenement (apartment) house

die **Milli'on** (–, –en) million; der **Millio'när** (–s, –e) millionaire

der **Mi'nister** (–s, –) minister; secretary; das **Mini'sterium** (–s, –rien) ministry, government office

die **Mi'nute** (–, –n) minute

miß'glücken fail (to succeed), miscarry

mißtrauisch distrustful, skeptical

mit-bringen (brachte –, –gebracht) bring along

'mit-debat'tieren share in the debate

das **Mitglied** (–s, –er) member

mitleidig compassionate, pitying

mit-nehmen (nimmt –; nahm –, –genommen) take along

mit-teilen share with, inform

die **Mitwirkung** (–, –en) (an) cooperation (in)

die **Mitte** (–, –n) middle; **mitten (in)** in the middle of; **mittels** by means of; **mittlerweile** mean-

while; die **Mitternacht** (–, ⁀e) midnight; der **Mittwoch** (–s) Wednesday

möchte: *see* **mögen**

das **Mo'dell** (–s, –e) model

mo'dern modern

mögen (mochte, gemocht) like; **gern —** like (very much) to; **möglich** possible; die **Möglichkeit** (–, –en) possibility

mohamme'danisch Mohammedan

der **Mönch** (–es, –e) monk

der **Mond** (es, –e) moon; der **Monat** (–s, –e) month

der **Mord** (–es, –e) murder; der **Mörder** (–s, –) murderer

morgen tomorrow, the next day; **morgens** of mornings, in the morning; **— früh** tomorrow morning

müde tired

die **Mühe** (–, –n) difficulty, effort; pains; **mühsam** painful, laborious

der **Mund** (–es, ⁀er) mouth

die **Münze** (–, –n) mint; coin; der **Münzensammler** (–s, –) coincollector

murmeln murmur

die **Mu'sik** (–) music; **musi'kalisch** musical

müssen (mußte, gemußt) must, have to

der **Musterknabe** (–n, –n) model boy

der **Mut** (–es) courage, bravery

die **Mutter** (–, ⁀) mother; das **Muttermal** (–es, –e or ⁀er) birthmark, mole

na (*colloquial*) = **nun: —** also! well then! what did we tell you!

nach (*dat.*) after

der **Nachbar** (–s *or* –n, –n) neighbor; die **Nachbarin** neighbor woman; das **Nachbarhaus** (–es, *"er) neighboring house; die **Nachbarschaft** (-) neighborhood

nachdem after

nach-denken (dachte –, –gedacht) reflect, consider, ponder, think over; **nachdenklich** pensive

der **Nachdruck** (–s, *"e) emphasis; **nachdrücklich** emphatic

nach-eilen run (hurry) after

nach-folgen (sein) follow after

nach-geben (i; a, e) yield, give in

nachgezogen: *see* **nachziehen**

nachher afterwards

nach-jagen run after, pursue

nach-lassen (ä; ie, a) slacken, diminish, slow up; **nachlässig** negligently, carelessly

der **Nachmittag** (–s, –e) afternoon; **nachmittags** of afternoons, in the afternoon

nach-prüfen check

nach-rennen (rannte –, –gerannt) run after

die **Nachricht** (–, –en) news

nach-sprechen (i; a, o) pronounce after a person

nächst (*superlative of* nahe) next; das –e **Mal** next time

die **Nacht** (–, *"e) night; **nächtlich** nightly, by night; das **Nachtmahl** (–s, –e) evening meal

nachträglich subsequently

nach-ziehen (o, o) trace over, pencil

der **Nagel** (–s, *") nail

nagen (an) gnaw (at)

nahe near; — **daran sein** be near; **näher** nearer; **nächst** next, nearest; die **Nähe** vicinity; **sich nähern** (*dat.*) approach

der **Name(n)** (–ns, –n) name; **nämlich** namely, you know, as you must know

die **Nase** (–, –n) nose; **an der** — by the nose; **vor der** — in front of one's nose; **vor die** — to one's

nose; die **Nasenspitze** (–, –n) point of the nose

naß wet

die **Na'tur** (–, –en) nature; **von** — **aus** by nature; **na'türlich** naturally

neben beside; **neben'an** next door; **so neben'bei** incidentally (as it were)

der **Neffe** (–n, –n) nephew

nehmen (nimmt; nahm, genommen) take; **Abschied** — take one's leave, say good-bye; **auf sich** — take upon oneself, take the responsibility; **Platz** — take a seat, sit down; **sich in Acht** — beware

nennen (nannte, genannt) name, call

der **Nerv** (–s *or* –en, –en) nerve; **ner'vös** nervous

nett nice

neu new; das **Neue Jahr** New Year; **neugierig** curious; **neugeprägt** newly minted

neun nine; **ein Neuntel** (–s) a ninth

nicken nod

nicht not; **noch** — not yet; **nichts als** nothing but; **nichts wird aus** nothing will come of; **gar nichts** nothing whatever; **das macht fast gar nichts:** *see* **machen**; das **Nichtraucher-Abteil** (–s, –e) compartment for non-smokers

nie never; **noch** — never before; **sonst** — never on other occasions; **niemals** never; **niemand** no-one; **sonst** —**em** to no-one else

niedergeschlagen downcast, discouraged

nieder-legen lay down, surrender, give up, resign

die **Niko'tinvergiftung** (–, –en) nicotine poisoning

das **Nimmer'wiedersehen: auf —** for keeps, farewell forever

nirgends no-where

noch still, yet, in addition, on top of everything; **— einmal** once more; **— immer** still; **was —** what else; **nochmals** once again

nörgeln nag

die **Not** (–) need, necessity, distress; **nötig** necessary; **— haben** need; die **Notleine** (–, –n) emergency cord; **notwendig** necessary

die **Note** (–, –n) (music) note

die **No'tiz** (–, –en) notice

die **Nummer** (–, –en) number

nun now; well

nur only

nützlich useful

ob whether, if; **ob'gleich** although; **ob'wohl** although

oben above; on top; upstairs; **da oben** up there; **der Obmann** (–es, "er) chairman, president; **oberflächlich** superficial; **oberst** topmost

offen open; **in der offenen** (*here = unversperrten*) **Lade** unlocked; **offenbar** evidently, apparently; **öffnen** open; **sich —** be opened; das **Öffnen** (–s) opening

ohne without; **ohne zu lachen** without laughing; **ohne'hin** anyhow, apart from this

das **Ohr** (–es, –en) ear; die **Ohrfeige** (–, –n) box on the ear; a swat; das **Ohrläppen** (–s, –) earlobe

ölen oil; das **Öl** (–es, –e) oil; die **Öllampe** (–, –n) oil lamp

der **Onkel** (–s, –) uncle

das **Opfer** (–s, –) victim; sacrifice

ordnen (set in) order; **ordentlich** orderly, properly; thoroughly; die **Ordnung** (–, –en) order

origi'nell original; ingenious

der **Ort** (–es, –e) place, village; die **Ortschaft** (–, –en) place, village

ein paar (*indeclinable*) a couple (of), a few

das **Pa'ket** (–s, –e) package, bundle

die **Palme** (–, –n) palm (tree)

der **Papa'gei** (–s *or* –en, –en) parrot

das **Pa'pier** (–s, –e) paper; die **Pa'piertüte** (–, –n) paper bag

die **Par'tei** (–, –en) party, side

die **Par'tie** (–, –n) game

der **Partner** (–s, –) partner

pas'sieren (*dat.* sein) pass; happen

die **Pasta** (–, –en) paste, salve

das **Pech** (–es) pitch; bad luck

die **Peitsche** (–, –n) whip

der **Penny** (–s, –ies) penny

das **Pennyhäufchen** (–s, –) heap of pennies; das **Pennystück** (–s, –e) penny piece

das **Perga'ment** (–s, –e) (piece of) parchment

perlen form (stand out) in beads

die **Per'son** (–, –en) person; das **Perso'nal** (–s) personnel; **per'sönlich** in person, personally

der **Peso** (–s, –s) Spanish (Mexican) dollar

der **Pe'troleumkönig** (–s, –e) petroleum king

die **Pfeife** (–, –n) pipe, whistle; das **'Pfeifensig,nal** (–s, –e) whistle signal

der **Pfennig** (–s, –e) pfennig (*smallest German coin*)

das **Pferd** (–es, –e) horse; **pferdelos** horseless; das **Pferdefuhrwerk** (–s, –e) horse (drawn) vehicle (carriage); der **Pferdewagen** (–s, –) horse carriage

pflegen be accustomed; die **Pflicht** (–, –en) duty; die **'Pflicter,fül-**

lung (–) carrying out of (one's duty, *etc.*)

das Pfötchen (–s, –) little paw

die Phanta'sie (–) imagination

das Pia'nino (–s, –s) upright piano

piepsen peep, cheep

der Pinscher (–s, –) fox-terrier

das Pla'kāt (–s, –e) placard, poster, sign

der Platz (–es, ˮe) place, room; seat; square; — **machen** make a space, find room; — **nehmen** take a seat, sit down

plötzlich sudden

po'litisch political

die Poli'zei (–) police; **der Poli'zist** (–en, –en) policeman

das Polster (–s, –) pillow

der Pomp (–s) pomp

der Por'tier (–s, –s) (*pron.* —**tjē**) porter

die Post (–) post (-office); **auf der** — at the post-office; **das Postamt** (–s, ˮer) post-office; **der 'Postbe-ͺamte** (–n, –n) postal clerk (employee); **der Postbote** (–n, –n) mailman, postman

prächtig splendid, magnificent

prägen stamp, coin, mint; **die Prägung** (–, –en) coining, stamping, minting; **der Prägungsfehler** (–s, –) coining error; mistake in minting

der Präsi'dent (–en, –en) president

der Preis (–es, –e) price

die Probe (–, –n) test

das Pro'nomen (–s, – *or* –mina) pronoun

protzig ostentatious

prüfen test, check, examine; **die Prüfung** (–, –en) examination, inspection

der Pudel (–s, –) poodle

das Pulver (–s, –) powder

der Punkt (–s, –e) point; dot; **(um)**

— **vier** on the stroke of four; **pünktlich** punctual

die Puppe (–, –n) doll

putzen polish, clean

das Quad'rat (–s, –e) square

quaken croak

quälen torture

die Quali'tät (–, –en) quality

quoll; *see* **herausquellen**

der Rachen (–s, –) jaws

das Rad (–es, ˮer) wheel

raffi'niert cunning, full of tricks

der Rand (–es, ˮer) edge, fringe

rasch quick; **so** — **er konnte** as fast (quickly) as he could; **am raschesten** quickest

ra'sieren shave; **das Ra'sieren** (–s) shaving

rasten rest

raten (ä; ie, a) advise; **der Rat** (–es, *pl.*, **Ratschläge**) advice, counsel, help; **keinen** — **wissen** not know what to do; **das Rätsel** (–s, –) riddle; — **lösen** solve a riddle; **rätselhaft** riddle-like, mysterious

die Ra'tion (–, –en) (*pron.* —**tsjōn**) ration

rauben rob (of); take by force

rauchen smoke; **das Rauchen** (–s) smoking; **rauchig** smoky

der Raufbold (–s, –e) bully, brawler, rowdy; **die Raufe'rei** (–, –en) brawl; **rauflustig** quarrelsome, pugnacious

rauh rough

der Raum (–es, ˮe) room, space

die Raupe (–, –n) caterpillar; **das Räupchen** little caterpillar

'raus out (with it!) (*An abbreviation of* **heraus**, *but used colloquially also in the sense:* **hinaus**)

recht right; — gut quite good; — nett quite nice; rechts to the right; rechtzeitig promptly, in good (the nick of) time

der Rechtsanwalt (–s, –e or ⁻er) counsel, solicitor, lawyer

reden speak; die Rede (–, –n) speech; eine — halten make a speech; zur — stellen call to account; die Redewendung (–, –en) turn of speech, expression

regelmäßig regular

der Regenwurm (–s, ⁻er) rainworm

reiben (ie, ie) rub

reich rich, wealthy

reichen (dat.) hand to

der Reif (–es, –e) or der Reifen (–s, –) tire; hoop

die Reihe (–, –n) row; die Reihenfolge (–, –n) sequence

rein clean

der Reis (–es) rice

reisen travel; das Reisen (–s) travelling; beim — while travelling; die Reise (–, –n) trip; der Reisende (–n, –n) traveller; das Reisebuch (–s, ⁻er) travel (guide) book; der Reisegenosse (–n, –n) travelling companion

reißen (i, i) tear, snap, jerk

der Reiter (–s, –) horseback rider

reizend charming

die Re'klame (–, –n) advertisement; — machen advertise

rennen (rannte, gerannt) run (fast), race

repa'rieren repair

der Rest (–es, –e) rest, remainder; restlich remaining

der Retter (–s, –) rescuer, savior

der Re'volver (–s, –) revolver; den — spannen cock the revolver

richten (auf) adjust, straighten; turn, direct (upon), aim (at);

set right; der Richter (–s, –) judge; richtig right; einen –en Haarwald a real forest of hair

riechen (o, o) (an) smell (of); sniff (at)

der Riegel (–s, –) bolt; hinter Schloß und — under lock and key

riesig giant, gigantic; die Riesenflagge (–, –n) gigantic flag; der Riesenstrauß (–es, ⁻e) gigantic bouquet

die Rikscha (–, –s) (short for Japanese) jinrikisha

der Rinderbraten (–s, –) roast beef

ringeln curl, twine; der Ring (–es, –e) ring; die Ringelnatter (–, –n) ring-snake

röcheln rattle (in throat), choke

der Rock (–es, ⁻e) coat

rollen roll

ro'mantisch romantic

rosa (indecl.) rose-colored, pink; rosarot pink

der Ro'satti (–s, –s) a fictitious make of auto; die Ro'satti-Werke Rosatti Works (factory)

die Rose (–, –n) rose

rösten fry

rot red; rotbackig red-cheeked

der Ru'bin (–s, –e) ruby

der Ruck (–es, –e) jerk

rück = zurück back; rücksichtslos inconsiderate, ruthless; der Rückzug (–s, ⁻e) retreat, withdrawal; den — antreten begin retreat

rufen (ie, u) (um) call, yell, exclaim (for)

ruhen (auf) rest (upon); die Ruhe (–) rest; — vor peace, quiet, from; ruhig calm; without fear

rühren: sich — stir, move, budge

rund round

die Rupie (–, –n; pron. –ĭĕ) rupee (Indian coin)

der **Rüß** (–es) soot, smoke-black;
rußig sooty
die **Rutschbahn** (–, –en) slide
rütteln (an) shake

die **Sache** (–, –n) thing; affair,
matter
der **Sack** (–es, "e) sack
sagen say; **sagte gerade** was just
saying; **sagen wir mal** let us say,
for instance
der **Sa'lat** (–s, –e) salad, lettuce
der **Sa'lon** (–s, –s) salon, parlor
der **Salz** (–es, –e) salt; die **'Salz-
kata'strophe** (–, –n) salt catastrophe; das **Salzkorn** (–s, "er)
grain of salt; der **Salzstreuer** (–s,
–) salt-shaker
sammeln gather, collect; **sich —**
gather; der **Sammler** (–s, –) collector; die **Sammlung** (–, –en)
collection
samt together with
der **Samt** (–es, –e) velvet; das **Samtstück** (–es, –e) piece of velvet
sanft gentle
satt satiated, full; **ich habe es —**
I've had my fill (am fed up with)
der **Satz** (–es, "e) sentence; leap
sauber clean, neat, tidy; **säuberlich**
neatly
sausen whiz, buzz, roar
der **Schabernack** (–s, –e) trick, hoax
der **Schacht** (–es, "e) shaft
die **Schachtel** (–, –n) box (*mostly
light, or cardboard*)
schadhaft defective; **bei Ihnen soll
die Leitung — sein** (*double
meaning*) it is reported you
1) have a short in your wiring,
2) have a "screw loose"
schaffen make, provide, furnish;
der **Schaffner** (–s, –) conductor
das **Schälchen** (–s, –) small vessel,
bowl

der **Schalter** (–s, –) sliding window,
stamp (ticket) window
scharf sharp; der **Scharfsinn** (–s)
acuteness, sagacity
der **Schatten** (–s, –n) shadow; **um
einen — länger** longer by a
shadow (hair)
schauen look
schaudern shudder; **schaurig** grue-
some
scheinen (ie, ie) seem, appear;
shine; der **Scheinwerfer** (–s, –)
reflector, spot-light
scheitern (an) go on the rocks, become wrecked (on)
schenken give, present (to, *dat.*)
der **Scherz** (–es, –e) joke
scheuen shun, shrink from; **scheußlich** abominable, hideous
schicken send
schieben (o, o) shove, push
die **Schiene** (–, –n) rail
schießen (o, o) shoot; die **Schieße'rei** (–, –en) shooting
das **Schiff** (–es, –e) ship, boat
das **Schild** (–es, –e) signboard; der
Schild (–es, –e) shield; die **Schildkröte** (–, –n) tortoise, turtle
das **Schillerdenkmal** (–s, "er, *or* –e)
Schiller monument
schimpfen scold, abuse
der **Schirm** (–es, –e) umbrella
schlafen (ä; ie, a) sleep; **sich —
legen** go to bed; der **Schlaf** (–es)
sleep; das **Schlafzimmer** (–s, –)
bedroom
schlagen (ä; u, a) strike; **aus dem
Kopf —** cast out of one's head;
der **Schlag** (–es, "e) stroke, blow
die **Schlange** (–, –n) snake
schlau sly, cunning
schlecht evil, bad; poorly; **— gelaunt** in bad humor
schleimig slimy
schleppen drag, tow

schließen (o, o) shut; **wird ge-schlossen haben** has probably closed (*see* **werden**); **schließen aus** infer (conclude) from; schließlich finally

der Schlitz (–es, –e) slot

das Schlöß (Schlosses, Schlösser) lock; **hinter — und Riegel** under lock and key; der Schlosser (–s, –) locksmith

schluchzen sob

der Schluck (–es, –e) swallow

schlüpfen slip

der Schluß (Schlusses, Schlüsse) end, conclusion; **am —e** finally; das 'Schlußka,pitel (–s, –) closing chapter

der Schlüssel (–s, –) key; das Schlüsselloch (–s, "er) keyhole

schmal narrow

der Schmelzofen (–s, ") furnace, melting-pot

schmerzen pain; **noch immer —** continue to pain (ache)

der Schmetterling (–s, –e) butterfly; das Schmetterlingsnetz (–es, –e) butterfly net

schmettern blare, trumpet, warble

der Schmied (–es, –e) blacksmith

schmieren grease

der Schmuck (–es) jewelry

der Schmutz (–es) dirt; schmutzig dirty

die Schnauze (–, –n) snout, nose

schneiden (schnitt, geschnitten) cut

schnell quick

der Schnurrbart (–es, "e) mustache

die Schoko'lade (–, –n) chocolate

schon already; all right

schön pretty, nice; very well; **nun — well** all right; **am schönsten** nicest

schonen spare

schrauben screw; die Schraube (–, –n) screw

der Schreck (–s, –e) fright; **vor — from** fright; schreckenerregend terror-awakening; schrecklich terrible; **etwas Schreckliches** something frightful; der Schreckrevolver (–s, –) cap pistol

schreiben (ie, ie) write; die Schreibmaschine (–, –n) typewriter; die Schreibsachen writing materials; der Schreibtisch (–es, –e) desk; das Schreibzeug (–s) writing materials

schreien (ie, ie) (nach) cry, yell, shout (for); der Schrei (–s, –e) yell, call

der Schriftsteller (–s, –) author

schrill shrill

der Schritt (–es, –e) step, pace

die Schublade (–, –n) drawer

der Schuhlöffel (–s, –) shoe-horn

schulden owe to (*dat.*); die Schuld (–, –en) debt; guilt; der Schuldige (–n, –n) guilty one

die Schule (–, –n) school; das Schulkind (–es, –er) school child

die Schulter (–, –n) shoulder; **die —n zucken** shrug one's shoulders

der Schuppen (–s, –) shed

der Schürhaken (–s, –) stove poker

schütten pour, spill; schütteln shake

der Schutzmann (–es, "er *or* Schutzleute) policeman

schwach weak; **eine —e Hoffnung** a faint hope

schwarz black

schwatzen chatter, babble

schweben float, hover

schweigen (ie, ie) fall (keep) silent; das Schweigen (–s) silence

der Schweiß (–es) sweat, perspiration; die Schweißperle (–n) bead of perspiration

schwenken swing, wave, flourish

schwer heavy, difficult; (*adv.*) with
difficulty, hardly

der Schwertschlucker (-s, -) sword-
swallower

der Schwiegersohn (-es, *er) son-
in-law; der Schwiegervater (-s,
*) father-in-law

schwielig calloused

schwierig difficult; die Schwierig-
keit (-, -en) difficulty

schwimmen (a, o) swim, bathe; das
Schwimmbad (-es, *er) swimming pool; die Schwimmhose
(-, -n) swimming trunks

der Schwindler (-s, -) swindler,
faker

schwingen (a, u) swing; sich —
swing oneself, vault

schwören (o, o) swear

sechs six; halb — half past five; die
Sechs (figure) six

der Seehund (-es, -e) seal

die Seelenruhe (-) calmness, peace
of mind

sehen (ie; a, e) see; — auf look at

sehnen: sich — (nach) long (for)

sehr very; very much

die Seife (-, -n) soap

der Seiltänzer (-s, -) rope-walker

sein (war, gewesen) be; es ist there
is

sein (-, -e, -; -er, -e, -es) his;
seinerzeit at that (at one) time

seit since; — fünfundzwanzig
Jahren war er . . . (*action was
still continuing: English pluperf.*)
he had been for twenty-five
years . . .

die Seite (-, -n) side, page; die Seitengasse (-, -n) (narrow) side
street

der Sekre'tär (-s, -e) secretary

die Se'kunde (-, -n) second, moment; eine — lang for a second;
der Se'kundenzeiger second hand

selbst self (him, her, its, one's —);
selbstverständlich of course; self-
evident; selbstzufrieden self-con-
tented

selten seldom, rare; die Seltenheit
(-, -en) rarity; seltsam rare,
strange, unusual

senkrecht vertical, upright

die Sensa'tion (-, -en) (*pron.*
—tsjōn) sensation

setzen set, place; sich in den Kopf
— take into one's head; sich —
sit down; alight upon the perch;
der Sessel (-s, -) seat, chair

seufzen sigh; der Seufzer (-s, -)
sigh

sich (*reflex.*) him (her, *etc.*) self,
one another; für — to himself

sicher safe, sure, with assurance,
certainly; sicherlich surely; die
Sicherheit (-, -en) safety; cer-
tainty; sichtbar visible

sieben seven; siebzehn seventeen

der Sieg (-es, -e) victory; siegesgewiß confident of victory

der Si'gnor (-, -i) (*Ital., pron.* Sin-
jor) Signor, Sir, Mr.

silbern silver; silberhaarig silver-
haired; die Silbermünze (-, -n)
silver coin

der Silvesterabend (-s, -e) New
Year's Eve

singen (a, u) sing

der Sinn (-es, -e) sense

die Sitte (-, -n) manner

die Situa'tion (-, -en) (*pron.*
—tsjōn) situation

sitzen (sāß, gesessen) sit; der Sitz
(-es, -e) seat; der Sitzplatz (-es,
*e) seat

der Smoking (-s, -s) Tuxedo,
dinner-jacket

so so, thus, like this (that); so'eben
just (then); so'fort at once;
so'gar even

das **Sofa** (–s, –s) sofa
der **Sohn** (–es, ⁗e) son
solch such; **ein —er** such a
sollen shall, am to, be supposed to
sonderbar peculiar
sondern but (on the contrary)
sonst otherwise, or else, as for the
rest; **als —** than usual(ly); **—
niemand** no one else
sorgen (um) be concerned (about);
die **Sorge** (–, –n) care, worry,
anxiety; die **Sorgfalt** (–) care;
sorgfältig carefully; **sorgsam** carefully
die **Söße** (–, –n) sauce, gravy
der **Sovereign** (–s, –s) *English coin*
so'weit so far, far enough
der **Spalt** (–es, –e) crack
spannen stretch, cock; **spannend**
tense, exciting
sparen spare, save; die **Sparsamkeit**
(–) economy; thriftiness
späßen (mit) joke (about); der
Späß (–es, ⁗e) fun, joke
spät late
spa'zieren walk
das **Speisezimmer** (–s, –) dining-
room
spenden give out, dispense
das **Spezi'almittel** (–s, –) special
remedy
der **Spiegel** (–s, –) mirror
spielen play; das **Spielen** (–s) play;
beim — at (during) play; **zum
—** for play, to play with; das
Spiel (–es, –e) play, game; **beim
Spiel** at cards; der **Spieler** (–s, –)
player, gambler; die **Spielsache**
(–, –n) toy; das **'Spielzeugkla-
‚vier** (–s, –e) toy piano
die **Spitze** (–, –n) point; *pl.*, lace
der **Sport** (–s, –e) sport
sprěchen (i; ā, o) speak, talk
(with), see; die **Sprāche** (–, –n)
language; **sprāchlos** speechless;

das **Sprichwort** (–es, –e) proverb
springen (a, u) spring, leap;
sprengen force (burst) open; dynamite; der **Sprung** (–es, ⁗e)
leap, caper; crack, slit
das **Sprüchlein** (–s, –) saying
die **Spur** (–, –en) track, trail;
einem auf die — kommen track
someone, get wind of, find a
clue to
die **Stadt** (–, ⁗e) town, city; die
Städtische Bank City Bank
stählen harden, strengthen
der **Stall** (–es, ⁗e) stall, stable
stammeln stammer
stammen (von) come (hail) from,
be descended; **— aus** originate
from
der **Standpunkt** (–es, –e) view-
point; **ständig** constant
die **Stange** (–, –n) rod, perch
stark strong; **— vermehrt** greatly
increased
starren (auf) stare (at); **starr** fixedly
die **Sta'tion** (–, –en) station
statt (*gen.*) instead (of); **— dessen**
instead of that; **statt-finden** (a, u)
take place
stecken stick (fast), get (be) stuck;
— bleiben get stuck; **zu sich —**
stick in one's pocket
stehen (a, a) stand; das **Stehen** (–s)
stand; **zum — bringen** bring to a
stand; **stehen bleiben** stop, remain standing; **— zu** stand with,
adhere to, support
stehlen (ie; a, o) steal
steif stiff
stellen place, put; **sich —** pretend,
pose (as); **zur Rede —** call to account; **den Hebel stellen auf**
move the lever to, set the indi-
cator at; die **Stelle** (–, –n) place,
spot; die **Stellung** (–, –en) job,
appointment, position **(bei, with)**

sterben (i; a, o) (sein) (an) die (of)

der Stern (–es, –e) star

stets constantly

still still, silent; die Stille (–) silence, quiet; die eingetretene — silence that had arisen

stimmen atune; agree, check; einen fröhlich — put one in a merry mood; die Stimme (–, –n) voice

die Stirn(e) (–, –en) forehead

der Stock (–es, –e or Stockwerke) story; der erste und zweite — second and third story; das Stockwerk (–es, –e) story; im fünften — in the sixth story

stöhnen groan

stolpern stumble

stolz proud; — sein auf be proud of

stören disturb, interrupt

stottern stutter

strafen punish; strafend severely, reproachfully; die Strafe (–, –n) punishment

strahlen beam

die Sträße (–, –n) street; die Sträßenbahn (–, –en) streetcar, electric railway; die Sträßenseite (–, –n) side of the street

der Strauß (–es, "e) bouquet

strecken stretch; in die Höhe — put up

streichen (i, i) stroke; der Streich (–es, –e) stroke, prank; streicheln stroke, caress

streiten (i, i) (über, um, mit) quarrel, fight (over, about, with); sich — quarrel (with each other); der Streit (–es, –e) quarrel; das gibt — that will cause a quarrel

streng stern

der Streuer (–s, –) shaker

der Strich (–es, –e) dash

die Stube (–, –n) room; das Stubenmädchen (–s, –) house (chamber) maid

das Stück (–es, –e) piece; play

stumm silent

die Stunde (–, –n) hour; um diese — at this time

das Stupsnäschen (–s) stubnose, turned-up nose

stürmen storm

stürzen fall; rush; sich — auf rush (fall) upon

stutzen trim

suchen seek, look for, hunt (out); die Suche (–) search, hunt; sich auf die — machen start on the hunt for; der Suchende (–n, –n) searcher

die Summe (–, –n) sum

summen hum, buzz

süß sweet

die Szene (–, –n) scene

die Ta'bakhändlerin lady clerk in a tobacco shop; der Ta'bakladen (–s, – or ") tobacco shop

tadellos faultless

die Tafel (–, –n) table; door-plate, board

der Tag (–es, –e) day; eines —es one day; guten Tag good day! tagelang for days; das Tageslicht (–es) light of day, daylight; täglich daily

das Ta'lent (–s, –e) talent

die Tankstelle (–, –n) filling station

die Tante (–, –n) aunt

tanzen dance

tapfer brave, valiant

die Tasche (–, –n) pocket; Reisetasche hand- (travelling) bag; das Taschentuch (–s, "er) handkerchief

die Tat (–, –en) deed; 'tat'sächlich actually, for a fact

tauchen submerge; der Taucher (–s, –) diver

tauschen exchange; der Tausch (–es, –e) exchange

tausend thousand; das Tausend (–s, –e) a thousand

das Taxi (= Taxa'meterdroschke) (–[s], –) taxi(meter-cab)

technisch technical

teilen share, divide, part; der Teil (–es, –e) part; teil-nehmen (nimmt –; nahm –, –genommen) (an) take part (in); teilweise partly

das Tēle'fon (–s, –e) telephone; die Tēle'fonnummer (–, –n) telephone number

telegra'fieren telegraph

der Teppich (–s, –e) carpet

die Ter'rasse (–, –n) terrace

das Testa'ment (–s, –e) testament, will

teuer dear, expensive

der Teufel (–s, –) devil; zum — the deuce! die Teufelszunge (–, –n) devil's tongue

das The'ater (–s, –) theater

der Tibe'taner (–s, –) Tibetan; tibe'tanisch (of) Tibet

tief deep, low; die Tiefe (–, –n) depth

das Tier (–es, –e) animal; das Tierchen (–s, –) little animal; der Tiergarten (–s, ") zoo

der Tiger (–s, –) tiger

der Tisch (–es, –e) table; bei — at table; das Tischtuch (–s, "er) table-cloth

tja: *a drawled pronunciation of* ja yes

die Tochter (–, ") daughter

der Tod (–es) death; die Todesstunde (–, –n) hour of death; 'tod'müde dead tired; tot dead; der Tote (–n, –n) dead person

toll mad

die To'matensoße (–, –n) tomato sauce

tönen sound; der Ton (–es, "e) tone, sound

die Torte (–, –n) tart; fancy pastry (cake)

tosen roar

tragen (ä; u, a) carry; bear, wear; bei sich — carry with one, in one's pocket; der Traggurt (–es, –e) carrying strap (*see illustration!*)

trauen (*dat.*) trust, believe

träumen dream; der Traum (–es, "e) dream

treffen (i; a, o) hit; meet

treiben (ie, ie) drive; carry on, do; getrieben von driven by

die Treppe (–, –n) stairs; das Treppenhaus (–es, "er) stairwell

die Tresse (–, –n) lace, galoon, stripe

treten (tritt; a, e) (an) step (to); — Sie näher come in!; — auf come out upon (the stage, *etc.*)

der Trick (–es, –e *or* –s) trick

trium'phieren triumph; der Tri'umph (–s, –e) triumph

trinken (a, u) drink; der Trinker (–s, –) drinker; das Trinkgeld (–es, –er) tip

trocken dry; die Trockenzeit (–, –en) dry period

die Trom'pete (–, –n) trumpet

tropfen drip; der Tropfen (–s, –) drop

tropisch tropical

trotz (*gen.*) in spite of; trotzig defiant

tun (tat, getan) do; das tut nichts that doesn't matter; eine Reise — make (take) a trip

die Tür (–, –en) door; der Türpfosten (–s, –) door-post (jamb)

die Tüte (–, –n) sack, paper bag

der **Übeltäter** (-s, -) evil-doer
über, over; streiten — quarrel about
über'all everywhere
über'dies moreover
der **Überfall** (-s, "e) (surprise) attack
über'geben (i; a, e) give (turn) over
über'haupt in general, altogether; at all; — keine none at all
über'lassen (ä; ie, a) leave to, turn over to
über'legen consider, think over; **über'legend** meditatively; die **Über'legenheit** (-) superiority
über'nehmen (-nimmt; -nahm, -nommen) take (over), accept; Geldanweisungen — accept money remittances; issue money orders
über'raschen surprise; die **Über-'raschung** (-, -en) (daran) surprise (about it)
über'sehen (ie; a, e) overlook; survey, oversee
über'setzen translate
über'wachen watch over, keep under surveillance
die **Über'windung** (-, -en) self-mastery, effort
üblich usual, customary, the practice
übrig left over; das —e Programm the rest of the program; **übrigens** besides, moreover; **übrig-bleiben** (ie, ie) remain (over), be left
die **Übung** (-, -en) exercise
die **Uhr** (-, -en) watch, clock, o'clock
um around, about, over, at; **um diese Stunde** at this hour; **um Hilfe rufen** call for help; **um . . . zu** in order to; **um etwas kommen** lose something; **um . . . willen** (*gen.*) for the sake

of; **um so gesprächiger** all the more voluble; **Minute um Minute** minute after minute
um-drehen: sich — turn around
um-fallen (ä; ie, a) (sein) fall over
die **Um'gebung** (-, -en) surroundings, environs
um'her-spähen peer round about
um'her-tollen romp around
um-kehren turn around
der **Umlauf** (-es, "e) circulation
um-prägen mint again, remint
der **Umschlag** (-es, "e) envelope
um-schütten knock over, spill
um-sehen (ie; a, e): sich — look about
um so gesprächiger all the more voluble
um so mehr the more
umständlich fussy, ceremoniously
um-tauschen exchange
unachtsam heedless
unangenehm unpleasant
unaufgeklärt unexplained
unausweichlich inescapable, inexorable
unbedingt unconditional, absolute
unbehaglich uncomfortable
unbeholfen awkward
unbemerkt unnoticed
unbequem uncomfortable
unerbittlich inexorable
unerhört unheard of, fabulous
unermüdlich tireless
unerschrocken intrepid, dauntless
unerwartet unexpected
unfreundlich unfriendly, in an unfriendly tone
der **Unfug** (-s) mischief, nuisance, impropriety
ungeachtet (*with gen.*) in disregard of, notwithstanding
ungeduldig impatient
ungefähr about, approximately; **ungefährlich** harmless, safe

das **Ungeheuer** (–s, –e) monster
ungemütlich uncomfortable, unpleasant
ungewöhnlich unusual
ungezählt countless
ungezogen rude, spoiled, misbehaved
das **Unglück** (–s, –e) misfortune, bad luck, accident, mishap; **zum** — unfortunately; der **Unglückliche** (–n, –n) unfortunate one; der **Unglückskoffer** (–s, –) wretched (cursed) suitcase
unheimlich uncanny
unhöflich impolite
die **Uniform** (–, –en) uniform
das **Unikum** (–s, –ka) unique (piece)
unmöglich impossible
unnatürlich unnatural
unordentlich disorderly, untidy, messy
unrasiert unshaved
die **Unregelmäßigkeit** (–, –en) irregularity
unruhig uneasy, restless
unschuldig innocent; der **Unschuldige** (–n, –n) innocent one
der **Unsinn** (–s, –e) (piece of) nonsense
unten below, downstairs
unter under; between; among
unter'brechen (i; a, o) interrupt
untereinander among each other
unter'halten (ä; ie, a): **sich** — converse; have a good time; die **Unter'haltung** (–, –en) conversation; entertainment
unter'lassen (ä; ie, a) omit
der **Unterschied** (–es, –e) difference
unter'suchen investigate, examine; die **Unter'suchung** (–, –en) investigation, examination
unüber'sehbar vast, illimitable
ununter'brochen uninterrupted

unverkäuflich not for sale (not to be bought)
unverschämt shameless, impudent, brazen
unversöhnt unreconciled
unversperrt unfastened, unlocked
unverständlich unintelligible
die **Unvorsichtigkeit** (–, –en) lack of foresight, carelessness
unwahrscheinlich improbable
unzählig countless
uralt very old, ancient
die **Ursache** (–, –n) cause, reason

das **Varieté** (–s, –s) variety theater, vaudeville
der **Vater** (–s, **ä**) father
die **Ver'änderung** (–, –en) change, variation
ver'anstalten prepare, arrange, organize
ver'bergen (i; a, o) hide
ver'biegen (o, o) bend, twist
ver'bieten (o, o) forbid
ver'binden (a, u) connect
ver'blüffen nonplus, dumbfound
ver'brauchen use up
das **Ver'brechen** (–s, –) crime; der **Ver'brecher** (–s, –) criminal
die **Ver'breiterung** (–, –en) widening
ver'brennen (–brannte, –brannt) burn up, roast
ver'bringen (–brachte, –bracht) spend, pass
der **Ver'dacht** (–s) suspicion; **ver'dächtig** suspicious
ver'danken owe to, be due to
ver'dienen earn
ver'drießlich vexed, annoyed
ver'dunkeln make dark, darken
ver'dutzt dumbfounded, nonplussed
ver'ehrt esteemed; **—er Herr** my dear Sir

der **Ver'ein** (–s, –e) club; **ver'ein-baren** agree upon; die **Ver'einig-ten Staaten** United States

der **Ver'fasser** (–s, –) author

ver'flixt (= **verflucht**) confounded

ver'folgen follow, pursue

die **Ver'gangenheit** (–, –en) past

ver'geblich in vain, futile

ver'gehen (–ging, –gangen) (sein) pass (away), die

ver'gessen (–gäß, –gessen) forget

ver'gnügt pleased, cheerful; das **Ver'gnügen** (–s, –) pleasure

das **Ver'größerungsglas** (–es, ˝er) magnifying glass

ver'haften arrest

das **Ver'hältnis** (–nisses, –nisse) relation, circumstance

ver'heiraten (an) give in marriage (to); — **mit** marry to

ver'kaufen (um) sell (for); der **Ver'käufer** (–s, –) salesman, clerk

ver'kehren associate (have intercourse) with; invert; der **Ver'kehr** (–s) traffic

ver'kleiden: sich — disguise oneself; die **Ver'kleidung** (–, –en) disguise

ver'kriechen (o, o): **sich** — crawl away, creep into a hole

ver'langen require, ask

ver'lassen (ä; ie, a) leave; **ver'lassen** solitary, forsaken

der **Ver'leger** (–s, –) publisher

ver'lieren (o, o) lose

ver'lockend enticing

ver'mehren increase; **stark** — greatly increase; **sich** — increase, multiply

ver'meiden (ie, ie) avoid

das **Ver'mögen** (–s, –) riches, fortune, wealth; **totes** — dead capital; **ver'mögend** wealthy

ver'muten presume, conjecture, surmise; **ver'mutlich** presumably, likely

ver'nünftig sensible

ver'öffentlichen publish

ver'pflichten obligate; **ver'pflichtet sein** be under duty

ver'raten (ä; ie, a) betray

ver'rückt crazy, insane

ver'rutscht disarranged; askew

ver'sammeln call together, gather; **sich** — gather

ver'säumen miss, neglect

ver'schaffen obtain

ver'schieden different

ver'schlafen (*p.p.*) drowsy, drunk with sleep

ver'schließen (o, o) close, seal

ver'schütten spill; das **Ver'schütten** (–s) spilling

ver'schwinden (a, u) (sein) disappear; der **Ver'schwender** (–s, –) spendthrift; die **Ver'schwendung** (–, –en) prodigality, wastefulness

das **Ver'sehen** (–s, –) oversight, slip, mistake

ver'senden (–sandte, –sandt) send, forward

ver'sichern assure

ver'söhnlich conciliating, forgiving

ver'sperren block, barricade, lock

ver'sprechen (i; ā, o) promise

ver'ständigen give (a person) notice, inform; **sich** — make oneself understood; das **Ver'ständnis** (–nisses, –nisse) understanding

ver'stecken hide; das **Ver'stecken** (–s) hide-and-seek; das **Ver'steck** (–es, –e) hiding, hiding-place

ver'stehen (–stand, –standen) (**unter**) understand (by)

ver'suchen attempt, try

ver'teilen divide, distribute

ver'tragen (ä; u, a) bear, endure

ver'trauen (*dat.*) trust; **ver'traut** familiar, intimate; **ver'traulich** intimate, familiar

ver'treiben (ie, ie) drive away, scatter, disperse

ver'trödeln idle away

ver'ursachen cause, produce

ver'urteilen sentence

der **Ver'wandte** (–n, –n) relative

ver'wundern surprise, astonish; die **Ver'wunderung** (–) astonishment, amazement

ver'wünscht cursed, confounded

ver'zeihen (ie, ie) pardon; die **Ver-'zeihung** (–, –en) pardon

ver'zichten (auf) renounce, forego

ver'zweifelt desperate, in despair

viel much; —es andere much else; **viel'leicht** perhaps

vier four; **halb —** half past three; **Punkt halb —** at the stroke of three thirty; **der Vierte** fourth (person); **viermal** four times; die **Viertelstunde** (–, –n) quarter of an hour; **vierzehn** fourteen; **vierzig** forty; **vierzigjährig** forty-year (old)

die **Villa** (–, –en) villa

voll full; **voller** full (of); **voll'kommen** completely, entirely

von (*dat.*) of, from, by

vor before, in front of, from, of; ago; **— einem Jahr** a year ago; **— fünf** before (to) five; **— sich hin** before oneself, straight ahead, to oneself; **— Zorn** with (from) anger

vor'bei past, over

vor'bei-fliegen (o, o) (sein) (an) fly past

vor'bei-kommen (a, o) (sein) pass by, come past

vor'bei-laufen (äu; ie, au) (sein) run past

vor'bei-ziehen (zog –; –gezogen) (sein) pass by

vor-bereiten prepare, make ready

vorbestimmt pre-determined

vor-dringen (a, u) (sein) force one's way forward

vor-fallen (ä; ie, a) (sein) happen

vor-finden (a, u) find (present, at hand), light upon

vor-gehen (ging –, –gegangen) (sein) happen, be going on; go ahead, have precedence

der **Vorhang** (–s, "e) curtain

vorher first, before (that), previously; **vom Tage —** of the preceding day

vor-kommen (kam –, –gekommen) (sein) seem, appear; happen, occur; **sich —** seem to oneself

das **Vorleben** (–s, –) previous life

der **Vormittag** (–s, –e) forenoon

vorne in front

vornherein: von — from the first

vornehm aristocratic, distinguished, genteel

die **Vorrichtung** (–, –en) arrangement, contrivance, mechanism

vor-rücken advance

vor-sagen recite, rehearse, dictate

der **Vorschein** (–s, –e) appearance; **zum — bringen** make appear, produce; **zum — kommen** appear, come into view

vor-schlagen (ä; u, a) suggest, propose; der **Vorschlag** (–s, "e) suggestion, proposal

vorsichtig cautious

die **Vorstadtwohnung** (–, –en) suburb dwelling

vor-stellen introduce, present; imagine; die **Vorstellung** (–, –en) introduction; presentation; performance

vor-tragen (ä; u, a) present, lay before, deliver (a speech)

vor-treten (tritt –; a, e) (sein) step forward

vo'rübergehend passing; **—e Leute** passers-by

vorwärts forward

der **Vorwurf** (–s, ˝e) reproach

das **Vorzimmer** (–s, –) ante-room, entrance hall

die **Waage** (–, –n) (pair of) scales

wachsen (ä; ū, a) (sein) wax, grow

das **Wachssiegel** (–s, –) (*pron.* Waks–) wax seal

wackeln shake, wag

wagen dare, venture

der **Wagen** (–s, –) wagon, carriage, auto

wählen choose; die **Wahl** (–, –en) choice

wahr true; **nicht —** is it not (so, true); do you? mustn't one? aren't you? *etc.*; die **Wahrheit** (–, –en) truth; **wahr'scheinlich** probably, apparently

während (*gen.*) during, while; **— der Fahrt** while (the elevator was) in motion

wälzen: sich — toss, roll

die **Wand** (–, ˝e) wall

wandern (sein) wander, find one's way

die **Wange** (–, –n) cheek

wann when?; **— immer** whenever

das **Wappen** (–s, –) crest, seal

das **Warenhaus** (–, es, ˝er) department store

warm warm; **auf Warm stellen** turn to warm; die **Wärme** warmth

die **Warnung** (–, –en) warning

warten (auf) wait (on, for)

wa'rum why

was what; that; also = **etwas; — für ein** what kind of a

waschen (ä; ū, a) wash; **beim Waschen** while washing; die **Waschung** (–, –en) washing, shampoo

das **Wasser** (–s) water; der **Wasserfall** (–s, ˝e) waterfall; das **Wasserspritzen** (–s) the squirting of streams of water; **durch — zu vertreiben** to disperse by playing the fire-hose on them

wechseln change

wecken wake

weder . . . noch neither . . . nor

wegen (*with gen.*) on account of, for the sake of

der **Weg** (–es, –e) way, path; **sich auf den — machen** set out

weg-fahren (ä; u, a) (sein) leave, go, depart

weg-führen lead away

weg-gehen (ging –, –gegangen) (sein) go away

weg-kommen (kam –, –gekommen) (sein) get away

weg-räumen move (clear) away

weh(e) woe! alas!; **weh tun** hurt

weich soft

die **Weihnacht, Weihnachten** (*sing. and pl.*) Christmas

weil because

die **Weile** (–) while; **auf eine —** for a while

die **Weintraube** (–, –n) (bunch of) grapes

die **Weise** (–, –n) way, fashion, manner; **auf diese —** in this manner

weisen (ie, ie) (an) direct, refer (to); **weise** wise; die **Weisheit** (–, –en) (piece of) wisdom

weiß white

weit far, wide; **— und breit** far and

wide; **weiter** further; **von —em** from afar; **weiter-fahren (ä; u, a) (sein)** drive on; **weiter-gehen (sein)** go on

welch- which, what

die **Welt** (-, -en) world; **in der — herumkommen** get about in (see something of) the world; die **Weltfirma** (-, -men) world-firm

wenden (wandte, gewandt): sich — (an) turn (to)

wenig little, few; **wenigstens** at least

wenn when(ever); **— gerade** just when

werden (i; u, o) (sein) become (*future aux.,* will; *passive aux.,* be. *The future tenses are frequently used to indicate probability.*)

werfen (i; a, o) cast, throw

wert valuable; worth; der **Wert** (-es, -e) value, worth; **wertvoll** valuable

weshalb why

die **Weste** (-, -n) vest

wetten bet

wichtig important; **sich — machen** put on an air of importance

wider against; **wider'legen** refute; **widerspenstig** obstinate, recalcitrant; **wider'stehen (a, a)** resist; der **Widerstand** (-es) resistance; **widerwillig** reluctantly

wie as, like

wieder again; **wieder'holen** repeat; **wieder-kommen (sein)** return, come back; **wieder-sehen** see again; **auf Wiedersehen** till we meet again; good-bye

die **Wiese** (-, -n) meadow, lawn

wie'so how(so); **— hast du** how did you come to

wie'viel how much (many)

wimmern whimper, moan

der **Wind** (-es, -e) wind

winseln whimper, whine

der **Wintermorgen** (-s, -) winter morning

wirken work, have an effect; **wirklich** real, in reality; die **Wirklichkeit** (-, -en) reality

das **Wirtshaus** (-es, "er) inn, tavern

wischen wipe, mop, brush

wispern whisper

wissen (weiß; wußte, gewußt) know; **möchte gerne —** should like (very much) to know

der **Witz** (-es, -e) joke

wo where; **wo'bei** whereby, in connection with which; **wo'her** whence, where from; **wo'hin** where (to); **wo'mit** with what; **wo'rauf** whereupon; **wo'rum** (what) about, about (what); **— es sich handelte** what it was about; **wo'von** of what, what about; **wo'zu** to what purpose, why, what for

die **Woche** (-, -n) week

wohl well, indeed, probably, doubtless, to be sure; **Er bemerkte zwar keinen Menschen, — aber ...** He did not, to be sure, notice any person, but he DID ...; **wohltuend** soothing, beneficent

wohnen live, reside; die **Wohnung** (-, -en) home, dwelling, house, flat; die **Wohnungstür** (-, -en) door of an apartment, front (*or* hall) door

das **Wohnzimmer** (-s, -) living-room

wollen (will; wollte, gewollt) want, wish to; be on the point of, be about to

wo'mit, wo'rauf: *see* **wo**

das **Wort** (-es, -e *or* "er) word; **zu — kommen lassen** let put in a word, allow to speak; **wortlos** speechless; der **Wortschatz** (-es) vocabulary

wo'rum, wo'von, wo'zu: *see* **wo**

wulli, wulli *nursery words, used to call pets*

wundern: sich — be surprised; das **Wunder** (-s, -) wonder, marvel; **wunderbar** wonderful, marvellous; **"Wunderschau"** Wonder Show; **wunderschön** wondrously (very) beautiful

wünschen wish (for); der **Wunsch** (-es, "e) wish

wußte: *see* **wissen**

die **Würde** (-) dignity

die **Wüste** (-, -n) desert

die **Wut** (-) rage; der **Wutanfall** (-s, "e) attack of rage; **wütend** in a rage, furious

zaghaft irresolute, hesitant

zahlen pay (for); die **Zahl** (-, -en) figure, number, sum; **zählen** count

zahm tame

der **Zahn** (-es, "e) tooth

zaubern perform magic; der **Zauberkoffer** (-s, -) magic (trick) suitcase; der **Zauberkünstler** (-s, -) magician

der **Zaun** (-es, "e) fence

das **Zēbra** (-s, -s) zebra

zehn ten; **zehnt –** tenth; **zehntausend** ten thousand

das **Zeichen** (-s, -) sign

zeigen show, display, reveal; **sich — ** appear, show oneself, show up, put in an appearance; **— auf** point to

die **Zeit** (-, -en) time; **das hat —** that can wait; **zu ihrer Zeit** in her time; **zur —** at the time (of);

die **Zeitung** (-, -en) newspaper; der **Zeitungsverkäufer** (-s, -) news(paper) boy, vendor

das **Zelt** (-es, -e) tent

zer'brechen (i; a, o) break (up)

zer'knüllen crumple (up)

zer'kratzen scratch (up)

zer'lumpt ragged

zer'rauft dishevelled, ruffed up

zer'reißen (i, i) tear

der **Zettel** (-s, -) scrap of paper, slip, note; **bis auf einen —** except for a scrap; das **Zettelchen** (-s, -) little note (slip of paper)

ziehen (o, o) pull, haul, draw; **den Kürzeren —** draw the shorter straw; come out the loser; get the worst of it

ziemlich rather, tolerably; **— alles** pretty much all (everything)

zierlich dainty, elegant, delicate, fine

die **Ziffer** (-, -n) figure

die **Ziga'rette** (-, -n) cigarette; die **Ziga'rettenasche** (-) cigarette ashes; das **Ziga'rettenˌtui** (-s, -s) cigarette case

die **Zi'garre** (-, -n) cigar

die **Zi'geunerin** (-, -innen) gypsy woman

das **Zimmer** (-s, -) room

der **Zins** (-es, -en) interest (on one's money)

der **Zirkus** (-, -kusse) circus; der **'Zirkusbeˌsucher** (-s, -) circus visitor; der **'Zirkusdiˌrektor** (-s, -direk'toren) circus manager; der **'Zirkuslöwe** (-n, -n) circus lion; das **Zirkuszelt** (-es, -e) circus tent

zischen hiss

zittern (vor) tremble (at, before)

das **Zögern** (-s) hesitation

der **Zorn** (-es) anger; **vor —** with anger; **zornig** angry

zucken jerk; **mit den Achseln (Schultern)** — shrug one's shoulders

der **Zucker** (–s) sugar

zudringlich pestering, obtrusive

zu'erst at first

zufällig accidentally

der **Zug** (*cf.* ziehen) (–es, ⁻e) train; breath of air, draught; **in den letzten Zügen liegen** lie in ones last gasps; **ein** — **Heringe** school of herring; der **Zügel** (–s, –) bridle, reins; **am** — by the bridle

zu'gleich at once, at the same time

zu'grunde-gehen (sein) (am) perish (from)

zu-halten (ä; ie, a) hold shut

zu-hören listen (to)

zukünftig future

zu-lächeln smile at (toward)

zu'letzt at last, finally

zu-machen close

zu'nächst first of all

zu'rück-be₁kommen (a, o) get back, recover

zu'rück-bleiben (ie, ie) (sein) remain behind

zu'rück-bringen (brachte –, –gebracht) bring (take) back

zu'rück-drehen turn back

zu'rück-geben (i; ä, e) return, give back; reply

zu'rück-gehen (ging –, –gegangen) (auf) go back (to)

zu'rück-halten (ä; ie, a) hold back

zu'rück-kehren return

zu'rück-kommen (kam –, –gekommen) (sein) come back, return

zu'rück-lassen (ä; ie, a) leave behind

zu'rück-nehmen (nimmt –; nahm –, –nommen) take back

zu'rück-schieben (o, o) shove back

zu'rück-tönen sound back

zu'rück-ziehen (o, o): **sich** — withdraw, retire

zu-rufen (ie, u) call to; der **Zuruf** (–es, –e) call (to someone)

zu'sammen together; **alles** — the whole

zu'sammen-arbeiten work together

die **Zu'sammenkunft** (–, ⁻e) meeting

zu'sammen-rechnen count up, total

zu'sammen-suchen gather together

zu'sammen-tragen (ä; u, a) collect

der **Zuschauer** (–s, –) spectator

zu-sperren shut, fasten, lock

zu-stoßen (ö; ie, o) (*dat.*) happen to, befall

zu-wenden (wandte –, –gewandt): **sich** — turn to

zu-werfen (i; a, o) throw shut; cast at

zwanzig twenty

zwar to be sure, indeed, to be specific

der **Zweck** (–es, –e) purpose

zwei two; **der** —te second; **im zweiten Stock** in the third story; **zweideutig** with double meaning, ambiguous; **zweieinhalb** = **zweiundeinhalb** two and a half; **zweimal** twice

zweifellos without (beyond a) doubt

der **Zwergneger** (–s, –) negrito, dwarf (pigmy) negro

der **Zwetschkenkern** (–es, –e) plum (prune) seed

zwingen (a, u) force

zwischen between; der **Zwischenfall** (–s, ⁻e) incident, episode

zwölf twelve

der **Zy'linder** (–s, –) top-hat

(1)